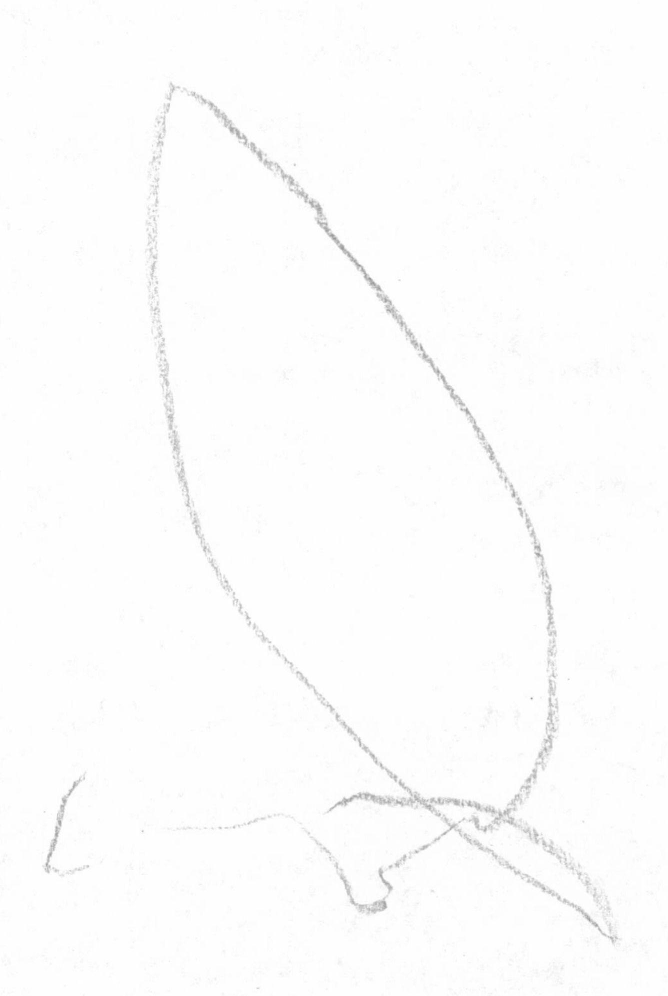

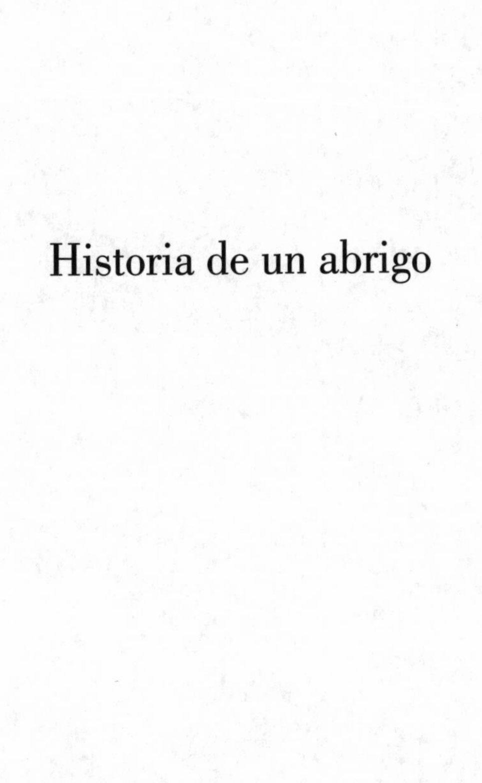

Historia de un abrigo

Soledad Puértolas

Historia de un abrigo

EDITORIAL ANAGRAMA
BARCELONA

Diseño de la colección:
Julio Vivas
Ilustración: foto © Cartier-Bresson / MAGNUM PHOTOS

© EDITORIAL ANAGRAMA, S. A., 2005
Pedró de la Creu, 58
08034 Barcelona

ISBN: 84-339-6878-5
Depósito Legal: B. 19803-2005

Printed in Spain

Liberduplex, S. L., Constitució, 19, 08014 Barcelona

A Polo, Diego y Gustavo

1. PERSECUCIÓN

Es una tarde lluviosa. Llevo el maletero del coche lleno de bolsas del supermercado. Pienso en lo que me espera, descargar las bolsas, dejarlas a la puerta de mi casa, abrir la puerta, volver a cargar las bolsas y dejarlas sobre la mesa de la cocina. Vaciarlas, guardar unas cosas en la nevera, otras en la despensa, otras en el armario de la limpieza. Y algunas, eso es lo peor, en el congelador. Lo peor, porque hay que tirar el papel que las envuelve –que envuelve la carne, el pollo y el pescado– y meterlas en las bolsas especiales para los congelados, unas bolsas con cierre hermético, aunque no creo que sea tan hermético.

De pronto, pienso en aquel abrigo que tenía mi madre, el abrigo negro de astracán, tan pesado, ¿dónde estará?, ¿quién se lo quedó? Sí, me gustaría tenerlo, me gustaría estar envuelta en ese abrigo tan pesado en lugar de tener en el maletero del coche tantas bolsas llenas de comida que hay que guardar en cuanto llegue a casa. Me gustaría estar andando por la calle con el abrigo de mi madre, paseando, mirando los escaparates de las tiendas, sin nada que hacer.

Llego a casa y, aún con las bolsas del supermercado sobre la mesa de la cocina, llamo a mis hermanos. A mis tres hermanas y a mis cinco hermanos. Por fortuna, tengo los números de sus teléfonos móviles anotados en mi libreta. Les llamo directamente a los teléfonos móviles para no tener que perder el tiempo saludando a cuñadas y cuñados, a secretarias, a sobrinos, a quien sea. Una a una, uno a uno, les interrogo.

¿Tienes el abrigo negro de astracán de mamá?, ¿no te quedaste tú con él?

¿No te lo llevaste para tu mujer?, pregunto, cuando hablo con uno de mis hermanos.

Nada. No lo tiene nadie.

Miro las bolsas sobre la mesa. Unas han caído de lado.

Estoy segura de que yo no me quedé con el abrigo, pero busco en todos los armarios. Ya sabía que no estaba. Subo al desván. Si lo hubiera guardado allí, me acordaría. Hay otros abrigos, que no uso nunca, que nadie usará nunca. Abrigos pasados de moda que he guardado para dárselos a alguien y que fueron olvidados, como si ya me hubiera desprendido de ellos. No está el abrigo de mi madre.

Voy recogiendo al fin las cosas del supermercado. Ya está despejada la mesa de la cocina. La nevera, llena. Pero sigo pensando en el abrigo, ¿por qué no me lo quedé? Sigo viéndome ahí, andando por la calle con el abrigo negro de astracán, envuelta en él, protegida por él. Pesaba un poco –decía mi madre: ¡Cuánto pesa este abrigo!–, pero eso ya no me parece un gran inconveniente. Cuando hace frío, el peso no importa demasiado y sólo habrían sido paseos, paseos cortos, los que yo hubiera dado con el abrigo, paseos cortos y lentos de mirar escaparates, no de ir cargando con bolsas de comida.

Me gustaría inspeccionar los armarios de las casas de mis hermanos, de todos, de mis hermanas y de mis hermanos, me gustaría subir a los desvanes de sus casas. Que me dejen sola, que me dejen buscar.

Así que vuelvo a llamar a los teléfonos móviles de mis hermanas y pido que me dejen buscar en los armarios y en los desvanes de sus casas. Y llamo a mis cuñadas, porque mis hermanos, los cinco, me dicen que el permiso para registrar armarios y desvanes me lo tienen que dar sus mujeres.

Me aseguran que no lo tienen. Ninguna de ellas tiene el abrigo, ni mis hermanas ni mis cuñadas.

Ven, si quieres, dicen, molestas. Compruébalo tú misma.

A esto me dedico durante toda una semana.

Me desplazo de punta a punta de Madrid. Entro y salgo en aparcamientos subterráneos, padezco atascos de tráfico, sufro el mal humor y las malas palabras de muchos conductores, voy de aquí para allá, de una casa a otra, subo escaleras, abro armarios, empujo perchas, bajo cremalleras que cierran grandes bolsas, las subo. Tengo breves –y variopintas– conversaciones con mis tres hermanas y mis cinco cuñadas.

¿Es que no tienes nada mejor que hacer?, me preguntan mis hermanas –todas dicen, más o menos, lo mismo–, yo no me quedé con el abrigo de astracán, ¿no recuerdas lo mucho que pesaba? Y la verdad es que no me imagino a ninguna de mis hermanas, ni a Blanca ni a Estrella ni a Malica, con el abrigo de mi madre. No les va.

Mis cuñadas, cada una a su modo, tuercen el gesto. Lo comprendo. ¿Quién soy yo para inspeccionar sus armarios?

Gracia, la mujer de Julio, me ofrece café, pero no tengo tiempo para cafés. No tengo tiempo para las miradas silenciosas de Gracia. Puede que haya muchas cosas detrás de ese silencio, pero no son cosas que yo pueda resolver. Se te está quedando frío el café, repite una y otra vez. Que me hable de lo que le preocupa, pero que no me hable del café. Busco el abrigo, que no encuentro, y me voy huyendo.

Marita, la mujer de Ignacio, el más pequeño de mis cinco hermanos, es la única que se ríe. Dice que estoy loca, pero que a ella a veces también se le ocurren cosas así. Cosas completamente absurdas que de pronto se convierten en importantes, en esenciales.

–Todos estamos un poco locos –dice–. Y los que no están locos, están peor. Enfermos de muerte –diagnostica con seguridad.

Ella sabrá a qué se refiere. Me sigue por la casa mientras voy abriendo los armarios, me acompaña al desván. Luego me sirve un gin-tónic.

Salgo de la casa un poco tambaleante. Tenía el estómago vacío y el gin-tónic se me ha subido a la cabeza. Ni siquiera me acuerdo de dónde dejé el coche, en qué planta del aparcamiento subterráneo, en qué lado. Me siento en un banco y respiro profundamente. No sé qué hacer.

Esta búsqueda es completamente absurda. El abrigo ha desaparecido. Mis hermanas pusieron la ropa de mi madre sobre la cama y todas escogimos. En general, no hubo problemas. Nuestros gustos son distintos. Hasta quedó algo para las cuñadas. Y para las chicas que cuidaban de mi madre. Recuerdo vagamente haber visto el abrigo negro sobre la cama, una mancha negra en medio de toda la ropa. Alguien se lo quedó, quién sabe quién. No se pudo evaporar, no pudo confundirse con otras cosas, entre otros abrigos, entre chaquetas y jerseys. Un abrigo como ése no se confunde con ropa normal y corriente, se ve enseguida.

Me siento ya capaz de coger el coche, pero la idea de introducirme en el aparcamiento subterráneo no me seduce en absoluto. No tengo ninguna prisa por llegar a casa. Hoy como sola. Hay sobras de comida en la nevera. Se me ocurre dar un paseo hasta la casa de mi padre, preguntarle a la chica que le cuida, que cuidó también de mi madre, si se acuerda del abrigo de astracán, mirar en los armarios, sobre todo, en los armarios empotrados del pasillo, donde mi madre guardaba la ropa que apenas usaba, y quizá también en el arca de la entrada, aunque no sea un sitio donde guardar abrigos, pero tengo que resolver este misterio. No tengo otra cosa que hacer, tienen razón mis hermanas.

Es una mañana de sol, da gusto andar, aunque sea una larga caminata desde aquí. No es un paseo para mirar escaparates. Es una caminata con una misión. Andar, recorrer calles, atravesar plazas, llegar a casa de mis padres, buscar el abrigo de mi madre. El abrigo que llevaría en mis paseos por Madrid, paseos de andar lentamente, sin metas, paseos de mirar escaparates, de tomarme un café o una cerveza en la terraza de un bar, al sol del invierno, como si Madrid no fuera mi ciudad y yo fuera una viajera solitaria o esperara a alguien o estuviera rellenando con paseos erráticos los ratos solitarios. Una viajera con un abrigo negro de astracán, salida del pasado.

La caminata me hace entrar en calor, me bajo la cremallera de mi abrigo, una especie de gabardina, un abrigo ligero. Los faldones se balancean a los lados, como si fueran alas. Andar no me gusta demasiado. Prefiero nadar. Pero llevo varias días sin ir a nadar. El asunto del abrigo de mi madre se está llevando todas mis energías.

Mis hijas no saben nada de esta búsqueda. No les hablo de esta clase de cosas a mis hijas. Estas cosas me las guardo para mí. Tampoco le he dicho nada a Pablo. Quizá cuando encuentre el abrigo se lo diga. Si lo encuentro. No quiero hablar de lo que no existe. Bastante es haber tenido que soportar los gestos y los comentarios de mis hermanas y de mis cuñadas cuando he ido a inspeccionar sus armarios, ¡buscar a estas alturas aquel abrigo negro de astracán, tan pesado!

Ni Pablo ni mis hijas saben nada de mis recorridos por Madrid, de mis zambullidas, al volante de mi coche, en la corriente del tráfico, de mis descensos por las rampas de los aparcamientos subterráneos, de la pericia que he ido desarrollando para aparcar el coche en los huecos que antes me parecían exiguos, de esta nueva vida que llevo a sus espaldas. Se sorprenderían si me vieran allí, en la penumbra del aparcamiento, haciendo las maniobras. Se sorprenderían aún más si me vieran revolver en los armarios de las casas de mis hermanos. Se llevarían las manos a la cabeza. Mejor que no sepan nada.

Por eso quiero el abrigo. Quiero contárselo todo, al fin. Quiero tener el abrigo sobre los hombros y sentirme protegida del mundo y decidir lo que quiero contar y lo que no. Que me miren como quieran, que piensen lo que quieran de mí, que no piensen nada, que no me hagan caso, que no dediquen ni un minuto de su tiempo a pensar qué hago por las mañanas y qué hago por las tardes, qué hago con tantas horas como tengo sólo para mí, horas solitarias por las que no se interesa nadie. Quiero el abrigo de astracán para perder mis dedos entre sus rizos negros, el abrigo que mi madre usó tanto.

Llego sudorosa a la casa de mi padre, la casa donde ya nadie ordena armarios. Quizá los armarios del pasillo estén vacíos. Mis hermanas y yo vaciamos los armarios y repartimos la ropa. Ya no sé con qué se llenaron aquellos armarios.

La casa de mi infancia. La casa de mi juventud. La casa de mis padres. Ahora ya sólo es la casa de mi padre, cuando siempre fue más de mi madre que de mi padre. La casa que ordenaba mi madre, toda la ropa que guardaba en los armarios. Su casa, sus armarios.

–He salido a hacer unos recados –le digo a mi padre, a quien las visitas inesperadas le causan un profundo asombro–, he subido un momento a verte. Un momento –recalco.

–Ah, eres Mar –dice, sorprendido–. Creía que eras Blanca. Me dijo que iba a venir, pero no ha venido, no sé dónde se puede haber metido.

–Ya sabes que desde que la han ascendido tiene mucho trabajo. No te preocupes, ya vendrá.

–¿Que la han ascendido?, eso es lo que dice ella, pero es todo lo contrario. Es absurdo todo lo que hace, absurdo.

–A ti también te gustaba trabajar, acuérdate –le digo, porque tengo en la cabeza todos sus viejos comentarios sobre la importancia del trabajo, ¡el trabajo era sagrado!, casi más que la familia. Lo decía constantemente, como si pensara que no nos dábamos cuenta, que nadie valoraba, ni siquiera mi madre, sus largas y esforzadas jornadas de trabajo fuera de casa. Una vez que llegaba, muy tarde, a casa, había que agradecérselo, que demostrarle, respetando su cansancio, su deseo de estar solo, de que nadie le molestara, había que hacerle ver que nos sentíamos orgullosos de él.

Se encoge de hombros. No le entiendo, no va a darme más explicaciones. No hace falta. Sé que mi padre depende de Blanca, no concibe que ella tenga otras cosas que hacer aparte de venir a verle, no le cabe en la cabeza que Blanca trabaje. Ya que vive sola, debería dedicarse enteramente a él. Y de quien desde luego está completamente prohibido hablar en presencia de mi padre es de Tasia, la perra labradora de Blanca. El trabajo de Blanca le pone de mal humor, Tasia le exaspera. Le exasperan todos los perros. Siempre que tiene ocasión, deja caer comentarios despectivos sobre los perros y los dueños de los perros. Todos sabemos en quién está pensando.

–Dentro de nada voy a comer –dice–. Ahora mismo.

La casa huele a comida, a guiso, a patatas fritas. Es un olor que conozco y, al mismo tiempo, me parece nuevo, como si lo hubiera olvidado por completo, como si nunca hubiera existido. Está lejos, en otra infancia.

Mi padre sólo vive para sus viejas fotografías. Cada vez que voy, me las enseña como si fueran nuevas, como si yo no las hubiera visto nunca.

–Mira ésta –dice, cogiendo un marco de la repisa, olvidado ya del asunto del trabajo de Blanca y de su promesa, al parecer, aún no cumplida, de venir a verle–. Mira qué expresión tiene este chico. Es impresionante, ¿verdad? Gané el primer premio. No me extraña, es una fotografía buenísima.

Me conozco de sobra esta fotografía. Un par de adolescentes, en traje de domingo, posan en medio del campo. Hierba bajo sus zapatos relucientes, copas de árboles frondosos de telón de fondo. Sostienen un cigarrillo en la mano. El más bajo, un poco de lado, deja caer el brazo con cierta desgana. El otro, el principal, el alto, el guapo, el retador, tiene los brazos cruzados. El cigarrillo, a la altura de la cintura. Mira de frente. Mira a los ojos. Su mirada desafiante nos ha acompañado desde tiempo inmemorial. Era una fotografía pequeña, pero ahora mi padre la ha hecho ampliar y la ha puesto en un lugar central de la repisa. En cierto modo, ha perdido un poco de misterio.

Ampliada como está, en la fotografía se ve perfectamente, abajo, a la derecha, la rimbombante firma de mi padre, Florencio Campos. Su nombre, escrito con una caligrafía muy cuidada, está envuelto en nubes de volutas. Mi padre pone el dedo sobre su antigua firma.

–Éste soy yo –dice, satisfecho, levemente asombrado.

Junto a esta fotografía y a las fotografías que conozco de siempre, hay otras que yo no había visto nunca. Mi padre ha rebuscado en sus viejos álbumes y ha montado una pequeña exposición. Me cuenta los detalles de cada fotografía, quiénes son estas personas de quienes no recuerda los nombres, pero sí muchas otras cosas. Me cuenta cómo era su vida por entonces, antes de casarse. Cuando iba de pueblo en pueblo sacando fotografías de bodas y bautizos. Tiempos difíciles y heroicos. Alguna fotografía artística de vez en cuando. Un retrato. En todas ellas está la firma de mi padre, la firma que se corresponde con aquel tiempo y que, más tarde, simplificó. Florencio Campos viajando en su lujosa nube. En todas está, casi tan palpable como la firma, la ilusión con que se presentaba a los concursos. La ilusión de haber ganado esos premios. Los tiempos que merece la pena recordar. Antes de nuestra existencia, cuando era absolutamente libre y su vocación era ser ese fotógrafo tan estupendo que se vislumbra en todas estas fotografías.

El éxito de la vida de mi padre está sobre la repisa. No nos afecta a nadie de la familia.

Saco a relucir el asunto de los armarios. No hablo del abrigo. Sólo que quiero mirar en los armarios.

–En los armarios del pasillo no hay nada. Están vacíos –dice mi padre.

–Echaré una ojeada –digo, levantándome.

Mi padre hace un gesto ambiguo, como si le molestara que anduviera revolviendo entre sus cosas, aunque nunca haya habido nada suyo, o muy poco, en esos armarios. Pero ahora la casa es suya, eso dice su gesto, es suya, aunque él no se ocupe personalmente de los armarios.

Es suya y de Lucía, la mujer que le cuida y a quien encuentro en la cocina.

–Voy a ver los armarios –le digo.

Me mira con desconfianza.

¿Qué es lo que hay en estos armarios? Ropa que nadie se decidió a tirar, que nadie quiso. Ropa extraña guardada en bolsas de plástico. Uniformes militares, ¿de cuando mis hermanos hicieron el servicio militar?, un esmoquin, un frac, ¿vestigios de bodas?, incluso hábitos, trajes de lana de color pardo con cinturones de cordón dorado, ¿de dónde habrán salido?, ¿es que mi madre usó hábito alguna vez, antes de que yo naciera o antes de que yo fuera capaz de retener el hecho para luego poderlo recordar, en virtud de una promesa? Nada más, en todo caso. No está el abrigo.

Otra vez en la cocina, le hablo a Lucía del abrigo, ¿no lo recuerda? Me mira con expresión de extrañeza, como si no supiera de qué le estoy hablando, como si ni siquiera supiera qué es un abrigo de astracán, qué significa esta palabra, astracán. No dice nada. Muda.

Llega la comida para mi padre y me despido.

Tengo que aceptarlo. El abrigo de mi madre se ha esfumado.

Me dirijo, cabizbaja, hacia la parada de los taxis. No voy a deshacer la caminata, no tengo fuerzas. Aún tengo que recoger mi coche en el aparcamiento subterráneo, sacarlo de allí, conducir hasta mi casa. Me fallan las piernas.

Entonces lo veo. Viene hacia mí. Lo lleva la mujer del portero. Éste es el abrigo de mi madre, el astracán negro. La mujer me sonríe desde la distancia, se detiene junto a mí. Nos saludamos.

Es una mujer joven, no me acuerdo de cómo se llama. Tiene una expresión muy dulce, algo soñadora. Así que fue ella quien se quedó con el abrigo. Mi mano está ahí, sobre su hombro, sobre los rizos negros del abrigo. Un instante fugaz.

La mano que ahora se cierra sobre el volante de mi coche, camino de casa. ¡Tantos viajes inútiles, Dios mío! ¿Quién le daría el abrigo a la mujer del portero?, ¿mis hermanas?, ¿mi padre?, ¿Lucía?

Nadie lo recuerda, nadie lo dice.

Si no me hubiera cruzado con ella por la calle, habría podido no saber que fue ella, la mujer del portero, quien se quedó con el abrigo de mi madre. Como tantas cosas que se ignoran, como tantas cosas que nos despiertan en mitad de la noche o nos asaltan en medio de la calle, pensamientos que nos empujan a movernos de aquí para allá durante unos días y que no puedes decir a nadie. Se te deshacen dentro, como las flores que, pasados los días, se deshacen en el florero.

2. INMOVILIDAD

A mí no me conoce nadie. Y, menos que nadie, mi familia, mis padres y mis hermanas y, debería añadir, los abuelos, los tíos, toda esa recua de parientes que se reúnen en ocasiones especiales para comer y beber hasta ponerse enfermos y recordar y cantar, roncos, agotados.

Tampoco mis amigos me conocen. En cierto modo, lo saben, saben que no me conocen. De vez en cuando, dejan caer frases sobre mí que expresan su ignorancia y, sobre todo, su frustración. No pueden conmigo. No me controlan. A veces, incluso, desaparezco. Eso les exaspera de verdad. Van a casa de mis padres a preguntar por mí y mi madre les dice que no sabe nada, que he salido pronto por la mañana y no he dicho adónde ni tampoco la hora en que pienso volver. O que ni siquiera he dormido en casa, eso también puede pasar, porque algunas noches no duermo en casa. Tengo permiso. Mi tío el relojero vive en el pueblo de al lado y en cierto modo soy su aprendiz. No siempre. Tiene un humor variable y sólo me quiere en el taller cuando dispone de tiempo por delante. Es un hombre meticuloso, detallista, que necesita calma, pero todo a su alrededor se suele confabular para destruir cualquier conato de tranquilidad. Su mujer y los innumerables hermanos de su mujer siempre tienen problemas; enfermedades y líos. No tienen hijos.

Menos mal, suspira mi tío, al menos todos éstos –se refiere a sus cuñados– me importan un pimiento. Que se caen y se rompen una pierna, a mí me da igual, no tengo nada que ver con sus piernas, no son de mi sangre. En cambio, tú eres de mi sangre, me dice, pensativo, mirándome por un instante con asombro, como si en ese momento se percatase de algo inusitado y esencial.

Es primo hermano de mi madre y se rumorea que estuvo enamorado de ella. Yo le espío en las reuniones familiares, en las que él suele permanecer bastante callado, y me parece que de vez en cuando lanza miradas furtivas a mi madre. Aunque eso era hace años, ahora apenas la mira, no mira a nadie, sólo a mí, que soy su aprendiz. Se dirige a mí si necesita algo, un vaso, un tenedor, cerillas. Le compadezco un poco porque es tímido y porque la familia le abruma, pero no tengo ninguna confianza con él.

Él tampoco me conoce. Bastante tiene con los problemas que le crean constantemente su mujer y los hermanos de su mujer. No tiene tiempo de pensar en mí, de intentar descubrir quién es su aprendiz. Le basta con que sea de su sangre. Le bastan, sobre todo, sus relojes, todos los relojes que, de diferentes tamaños, se acumulan en el taller. Abre la caja de uno de esos relojes y se sumerje en su mundo. Observar el tictac, el girar de la rueda dentada, le llena por completo. Lo veo en sus ojos, que son como focos, como tubos que aspiran lo que ven. Esos ojos sólo pueden ver relojes.

No le culpo. Este hombre tímido y necesitado de calma me trata bien. Quizá sea un buen hombre, aunque no me conozca. No pido que todo el mundo me conozca, simplemente me extraño de que nadie me conozca, me parece raro, sobre todo en el caso de los profesores, porque eso, conocer a los alumnos, debería ser en parte su meta, su especialidad. Pero estos profesores no tienen vocación ni inquietudes, son personas completamente planas, no se les ha pasado por la cabeza la idea de que la educación no es un asunto como cualquier otro. Exige inteligencia, sensibilidad. Un profesor debería interesarse por sus alumnos, debería intentar descubrir quiénes son, conocerles.

Pero, en medio de todo, prefiero a estas personas planas que son nuestros profesores al ser presuntuoso y petulante que es el director del instituto. Se cree muy inteligente y se cree, y éste es su gran error, derivado del primero, que nos conoce a todos muy bien. La humanidad no tiene secretos para él. La vastísima humanidad, todos y cada uno de sus miembros, todos somos a sus ojos una página llena de letra grande y clara, mensajes simples, sencillísimos.

Te conozco muy bien, tunante, me dice a mí, si es que me cruzo con él por el pasillo. Le gusta clavar sus ojos en mí, quiere impresionarme. Te conozco, Morales, te tengo completamente calado, y sonríe levemente, para sus adentros.

A mí nadie me engaña, dice, llevo muchos años en esto. Pronuncia estas frases intimidatorias en sus discursos, mueve los brazos. No sé a quién puede engañar él con sus ojos opacos, muertos, no sé qué vida puede ver con esos ojos carentes de luz.

Me irrita un poco, pero en el fondo pienso que es digno de lástima. Ha llegado a ser director de instituto, pero éste, no nos engañemos, es un pueblo perdido; no es un destino glorioso. Hay amargura en sus discursos, no llega a haber dolor, no puedo compadecerle, las cosas no le han salido del todo mal, le han salido a medias, ése es su drama, su patetismo.

¿Quién podría, entonces, conocerme? Sólo el incondicional Cecé, siempre a mi lado, más cerca de mí que mi propia sombra, ha tenido una oportunidad. O muchas. Pero, a estas alturas, ya no me hago ninguna ilusión. Empiezo a pensar que los profesores tienen razón cuando dicen que Cecé no tiene personalidad, que me sigue ciegamente porque necesita una dirección, que alguien decida por él. Me apoya en todo, se indigna cuando no se me reconocen mis méritos, cuando alguien me critica, pero está lejos de conocerme.

Cecé, tú tampoco me conoces. Alguna vez pensé que me podrías conocer, pero ahora me hago preguntas más profundas. Me pregunto si piensas en los demás alguna vez, o si piensas en ti mismo, o si simplemente piensas. No me has dado muchas señales de que en algún instante de tus monótonos días te pares un segundo, te detengas, y te dediques a esto, a pensar. Siempre andas así, siguiéndome de un lado para otro, y para hablar, o, por mejor decir, para farfullar, no tienes el menor problema, pero no sé si piensas, nunca te he visto pensar. Así que, Cecé, dudo mucho de que me conozcas, de que te hayas planteado alguna vez que me querías conocer. No tienes la menor idea de quién soy. Soy tu mejor amigo, desde luego, tu único amigo. Tu guía. Pero no me conoces.

¿Quién queda, entonces? No queda nadie. Puede que parezca que lo digo con satisfacción, y algo de satisfacción hay, no lo niego, aunque no exista, objetivamente, ninguna razón para sentirse satisfecho por esto, pero lo digo, sobre todo, con algo de pena, con un poco de rencor. Habéis tenido la oportunidad de conocerme y no la habéis aprovechado. Soy muy poca cosa, de acuerdo, no merecía la pena preocuparse por mí, no soy el centro del universo, pero nunca sabréis todo lo que, quizá, habéis perdido, porque se pierden muchas cosas si no se conoce a las personas, se pierde mucho, cosas inconcretas pero terriblemente importantes. Lo digo sabiendo que yo me estoy perdiendo cosas ahora mismo porque sé lo poco que conozco a las personas, a pesar de que éste ha sido hasta ahora mi máximo interés.

Por lo demás, he renunciado a ese sueño. Sé que no me conocerán nunca. Estoy rodeado de seres abúlicos. Nadie despierta en mí el deseo de darme a conocer. Soy como soy, hago lo que hago y no doy explicaciones. Sólo hubo un momento, el otoño pasado, en el que reconocí dentro de mí esa voluntad.

Era un domingo por la tarde y me acerqué a casa de Cecé para hacer planes. Había cierto revuelo. Tenían una visita que, a su vez, iba acompañada de otra. Eran viajeros; uno de ellos, remoto pariente del padre de Cecé. El otro era fotógrafo. Sentí su mirada sobre mí, una mirada distinta a todas, una mirada que penetraba, que te atravesaba. Dijimos que nos íbamos y el hombre, el fotógrafo, alargó el brazo y puso la mano sobre mi hombro, reteniéndome.

–Me gustaría sacaros una fotografía –dijo.

Me lo dijo a mí, ésa es la verdad. Pero yo no contesté.

–¿Una fotografía? –dijo Cecé–. ¿Para qué?

–Para nada –dijo el hombre–. Me gusta el aspecto que tenéis. Venid aquí, ¿cómo os llamáis? Bien, Julián, Celedonio, venid, ¿es que no os gustaría que os hiciera un retrato? Quedará muy bien, ya lo veréis, os lo mandaré, desde luego.

Algo en mí se resistía a complacer al hombre.

–Vamos fuera –dijo–. Me gustaría retrataros rodeados de verde. Todo árboles y hierba y vosotros en medio.

Cecé se rió, como si comprendiera, y las apoyara plenamente, las intenciones del fotógrafo.

–Aquí –dijo el hombre–. Este sitio es perfecto. Sí, muy bien, encended los cigarrillos, perfecto.

Estábamos de pie, indecisos, enfrente del hombre y de la cámara, teníamos el cigarrillo en la mano.

–Sujetad bien el cigarrillo –dijo el hombre–. Apoyaos en él. Fijaos bien en lo que os digo, Julián, Celedonio. Fijaos, el cigarrillo es vuestro apoyo, pero para los demás, para los observadores, es precisamente lo contrario. Para ellos lo estáis sujetando. Es lo contrario, no lo olvidéis. Concentraos. Ahora mirad aquí, al objetivo, mostraos como sois. ¡Escuchadme bien, Julián, Celedonio!, es vuestro momento, la cámara quiere saber quién sois, quiere conoceros. Miradla con toda franqueza.

De pronto, me entregué. Se lo dije todo a aquella cámara de fotos. Mis secretos, mis ambiciones, mi orgullo.

El fotógrafo se fue y no volvió nunca. Tampoco nos envió el retrato. Durante un tiempo, lo esperé inútilmente.

A veces pienso que si la fotografía salió, y si alguien contempla esa fotografía, ese alguien sí, ese alguien puede conocerme.

3. HABLANDO CON DESCONOCIDOS

El hijo se ha buscado en el espejo de la madre y no se ha encontrado. Se ha buscado con desesperación. Pero sólo ha visto señales negativas. Se llama Ramón. No le gusta su nombre.

La madre, Gracia Caballero. El padre, Julio Campos.

¿Qué es lo que busca Gracia cada vez que sus ojos miran, nostálgicos, incluso algo anhelantes, por la ventana?, ¿de qué está huyendo cada vez que pronuncia una frase cortante en presencia de Julio, contra él?, ¿cómo es que no ve la soledad, la terrible necesidad de Julio? Gracia es fuerte y poderosa. Julio está acorralado. Gracia no le deja expresarse, no le deja ser.

Julio ama a Gracia. El hijo ama a la madre. ¿A quién ama Gracia? Siempre está escapándose. Fuera de la casa, se vuelve muy alegre. Habla con otros hombres, se ríe con ellos. Los tenderos, los camareros, los taxistas. Gracia se lleva muy bien con todos estos hombres, los hombres que no viven en casa, los hombres que no se parecen en nada al padre. Hombres comunicativos, expansivos, hombres que nunca están solos, hombres que no necesitan nada. Juegan.

Julio no puede jugar. Está metido en un asunto muy serio.

¿Qué puede hacer el hijo? También él necesita el amor de la madre, pero no puede ser como el padre, porque sería rechazado, no puede mostrarse lleno de necesidades, no puede hablarle a Gracia, no la puede mirar, apenas la puede tocar. Tiene que huir de ella. Hacerle ver que no la necesita, que es un hombre como los otros, los tenderos, los camareros, los taxistas. Un hombre con una vida propia. Un hombre capaz de desenvolverse en el mundo con facilidad, un hombre de risa contagiosa y frases cómplices. Así es como el hijo conseguirá su amor.

El hijo se convierte en un rebelde. En el colegio, responde de mala manera a sus profesoras. Se convierte en un chico muy popular, todos los demás le reclaman. No hay fiesta ni jolgorio a los que no sea invitado. Tiene tantos amigos que los padres comentan entre sí, en susurros, cuando su hijo no les oye, que tiene una especie de don. Cae bien a todo el mundo.

Pero ni a Julio ni a Gracia se les escapa que, en casa, su hijo está como ausente. No les escucha, no les mira. Sólo está pendiente de las llamadas telefónicas de los amigos. Se oye su risa en el silencio de la casa, una risa que ya sólo se produce cuando está allí, colgado del teléfono. Y lejos, sin duda. Su hijo lo pasa muy bien lejos de casa.

Un día en que el hijo no está en casa, llaman por teléfono y preguntan por Japi.

–¿Japi? –se extraña Gracia.

–Japi de happy, ya sabe, feliz en inglés –explica, riéndose, el amigo del hijo.

Es así como llaman al hijo. A Gracia le duele el mote, como si no significara eso, felicidad. Le duele que se lo hayan puesto otros, le duele la felicidad que le es vedada a ella.

Gracia sufre. Su hijo se le está escapando. No sabe por qué. Es lo único que tiene. Se lo ha dado todo. ¿Qué pasa con la vida?, ¿por qué está tan lejos? No puede ser feliz. Arrastra un peso indeterminado y terrible de un lado para otro. Allí está, en el fondo de su alma, siempre. No se lo dice a nadie. No sabría cómo decirlo. ¡Ojalá lo sospecharan, lo adivinaran!, ¡ojalá se desmayara un día en medio de la calle y la llevaran a un hospital y el médico dijera: Esta mujer arrastra un peso insoportable, tenemos que ayudarla, tiene que desembarazarse de este peso, nadie puede vivir así! Pero no. No se desmaya, no se cae. Sigue ahí, mientras Julio la mira lleno de necesidades. Las miradas de Julio son como dardos que hieren el corazón de Gracia. Le hacen un daño terrible. Son acusaciones, reproches.

Cuando está sola en casa, Gracia llora. No cuenta con ningún apoyo, ¿a quién le podría contar lo que está ocurriendo? Su vida entera es inservible. Todo lo que le ha dado a su hijo se ha vuelto, inexplicablemente, contra ella. Todo lo que le pide Julio es precisamente lo que ella no tiene, ¿cómo se puede dar lo que no se tiene?

Lo más terrible es no poderlo comprender. No sabe en qué le ha fallado a su hijo. No sabe por qué Julio le pide tanto. No sabe nada. No se ve. Cae en una tristeza continua. La mirada se le apaga. Las palabras se ahogan en su garganta. Ya no habla con los tenderos ni con los camareros ni con los taxistas. No se ríe con ellos. Todos esos hombres no le interesan nada, le parecen absurdos.

Una mañana, Mar, su cuñada, aparece en casa. Sólo se queda un momento. Tiene mucha prisa. A Gracia le gustaría poder retenerla un poco, hablar con ella, preguntarle cómo se lleva de verdad con su marido y con sus hijos. Preguntarle si su vida está llena, qué hace para no hundirse. Pero los ojos de Mar están en otra parte. Siempre es así. Siempre tiene muchas cosas que hacer, por absurdas que sean. Ha estado revolviendo en los armarios en busca de un abrigo de piel de su madre, lo que podía tomarse como una impertinencia, ¿es que pensaba que ella tenía escondido un abrigo que no le pertenecía? Eso no se puede hacer, pedir que te dejen mirar en armarios ajenos, pero a ella no le ha importado, no le ha molestado que viniera su cuñada a casa para inspeccionar sus armarios, sabe que no se trata de eso, sino de buscar algo que le sirva para sobrellevar el vínculo roto, la muerte de su madre. Mar le cae bien. Cada cual tiene sus propias obsesiones. Ha pensado en ofrecerle café y hablar un rato con ella. Le dirá que la entiende, que sabe lo que es el dolor de perder a una persona, la más querida de todas. Una madre, un hijo. Ella ha perdido a su hijo, aunque esté vivo.

–No, no puedo quedarme –dice Mar, rechazando el café–. Te lo agradezco mucho, pero tengo mucha prisa.

Justo cuando están en la puerta de la casa, Gracia está a punto de decir: ¿Sabes cómo llaman a mi hijo sus amigos? Le llaman Japi. Significa feliz en inglés. No habla con nosotros, nos mira siempre con el ceño fruncido, pero sus amigos le llaman Japi. No entiendo nada. Ya nunca voy a entender nada. Me he quedado al margen.

Se apoya contra la puerta cerrada y se bebe el café frío que Mar ha dejado en la taza.

El ambiente de la casa se va haciendo más y más opresivo. Es una opresión indeterminada, que no se ve, no se sabe dónde reside. Gracia ya no llama a su hijo por su nombre. Le llama Japi. Quiere acortar el abismo que la separa de él, ponerse del lado de sus amigos.

Japi, cuando está en casa, se encierra en su cuarto y enciende el aparato de música. Se aísla allí. Si se quiere hablar con él, hay que dar unos golpes en la puerta. Incluso ha colgado del picaporte un letrero que dice: Prohibido entrar sin permiso. Puede parecer una broma, pero no lo es. Gracia sabe que esta orden ha sido escrita perfectamente en serio. Julio también lo sabe, pero se encoge de hombros.

Julio está hundido por otras razones, aún sigue pendiente de todo lo que Gracia no le da. Ha empezado a estar resentido. No demasiado, no llega a odiar a Gracia, pero a veces se lo pregunta y eso le estremece. No quería tener odio, quería amor, necesitaba amor. Prefiere no pensar en todo esto, pero sigue a la espera. Desde el fondo de su ser, se aferra a ese amor. No sabría vivir sin él.

Japi se va de casa. Lo anuncia de un día para otro. Ha encontrado un trabajo y un piso que va a compartir con unos amigos a quienes los padres no conocen. Deja los estudios. Simplemente les dice a sus padres que quiere vivir su vida. No da más explicaciones. Los padres se acusan mutuamente de la marcha del hijo. A veces, salen del silencio para formularse reproches. Pero vuelven rápidamente a él. Saben que las palabras ya no sirven de nada. Cada uno por su cuenta ha llegado a la misma conclusión. Incluso sienten cierto temor a las palabras. La situación aún puede empeorar. Unas palabras pueden llevar a otras y éstas a otras. Las cosas, quién sabe, podrían acabar muy mal. El silencio tiene muchos significados.

El principal, que no saben qué hacer. Ninguno de los dos sabe qué hacer. Están ahí, uno al lado del otro, sin saber qué hacer. Uno al lado del otro. Por alguna razón.

Una tarde de primavera, Gracia atraviesa el parque. A su alrededor, todo el mundo parece muy contento. Hay gente de todas las edades. Ancianos sentados en los bancos, jóvenes que pasean y se empujan un poco, riéndose, niños pequeños en cochecitos empujados por sus madres. Y están los árboles, otra vez con las copas verdes, los setos, las flores recién brotadas en los arbustos. No está mal la vida. Gracia se va internando en el parque, dejando de lado los recados que tenía que hacer. Se sienta al fin en un banco solitario, lejos del bullicio. Mira hacia arriba, hacia las copas de los árboles. No estaría mal vivir allí, en ese mundo de ramas y hojas, un mundo etéreo y firme a la vez, pero las personas no viven en los árboles. Para poder vivir en los árboles, debería ser un pájaro o una ardilla, a lo mejor alguna vez lo será, hay quien dice que la vida va de un lado para otro, cambiando siempre.

Al cabo de un rato se da cuenta de que hay una persona a su lado. Un joven con un cigarrillo en la mano. Le está pidiendo fuego. Gracia abre el bolso y busca una caja de cerillas que guardó hace tiempo sólo porque el bolso estaba cerca y no había un lugar mejor donde guardarla. Se la tiende al joven. El joven mira la caja de cerillas con una leve sonrisa, como si lo que dice allí –no es más que el nombre de un restaurante– tuviera un significado especial. Enciende el cigarrillo y devuelve a Gracia la caja de cerillas. De pronto, hace un gesto insólito. Vuelve a sacar del bolsillo el paquete de cigarrillos y se lo ofrece a Gracia.

Hace mucho que Gracia no fuma, pero sus dedos aceptan el cigarrillo. No ha sido un acto del pensamiento. Es algo que han hecho los dedos, ha sido un acto del cuerpo. Hay que aceptar lo que se nos ofrece. Hasta este rincón del parque, llegan las voces de la gente que llena la plazoleta. Los gritos y las risas. Gracia, con la ayuda del joven, enciende el cigarrillo y aspira el humo.

Así como ha tardado un poco en darse cuenta de haber cogido el cigarrillo que le ofrecía el chico, también tarda un poco en darse cuenta de que están hablando. ¿De qué? De la primavera, de los parques.

De esto que está pasando: disfrutar del sol de la tarde en un banco y cruzar unas palabras con alguien, una persona cualquiera. Una mujer que, de pronto, en lugar de hacer recados, decide pasear. Un joven que no tenía nada que hacer esta tarde, que no quería quedarse en casa. Se ríen. La vida no está nada mal.

¿Cómo se llaman? No lo dicen, no lo preguntan. ¿A qué se dedican? En el caso de Gracia, podría estar más o menos claro. Pero tampoco dicen nada de esto. Sin embargo, hablan. El chico le cuenta a Gracia un sueño que ha tenido. Ella, un recuerdo. Fuman otro cigarrillo. Ahora hablan de viajes. Viajes que no han hecho. Imaginan que están en París o en Roma o en Londres. Hay una cosa que tienen que decidir, si se acaban de conocer ahora mismo, en el banco del parque de París o de Roma o de Londres, o si viajan juntos. Se miran un momento a los ojos. Interrogantes, indecisos. Un momento que dura siglos.

Gracia se levanta. Ya no sabe cómo seguir el juego. Tira la colilla, apagada, a la papelera, y le dice al chico que se tiene que ir, que tiene cosas que hacer. Le da las gracias por los cigarrillos.

El chico hace un gesto con la mano. Un gesto que dice: Qué se le va a hacer. Y sonríe. Sonríe suavemente.

Gracia abandona el parque pensando en esa sonrisa. También decía algo, decía que lo comprende todo, comprende que ella se vaya ahora, y también decía, eso es lo importante, que volverá. Volverá a ese banco del parque otro día. Quizá mañana. Y, si no puede mañana, pasado mañana. Pero volverá.

¿Cómo se le ocurre pensar una cosa así? Nunca hubiera imaginado que fuera a hablar y a reírse tanto con alguien a quien no conoce de nada, ¡con un chico que debe de tener pocos años más que su propio hijo!, ¿es esto lo que hacen las personas normales?, ¿no se estará convirtiendo en una excéntrica?

Hace los recados que tenía que hacer y vuelve a casa, bordeando el parque. Se sienta en el sofá, frente al televisor encendido, pero su cabeza vuelve al banco del parque. Ahora ve la escena con completa nitidez. Se ve a sí misma hablando con el joven. Oye todo lo que dicen los dos. Escucha cómo fantasean. Cómo se ríen. Ve cómo se miran. ¡Esa última mirada, por Dios!, ¡esa mirada es impresionante! Ahora sabe que lo que ha ocurrido esta tarde es extraordinario. Quizá sea una señal. O un milagro. O simplemente eso, algo extraordinario. Porque en la vida ocurren a veces cosas extraordinarias. En la vida no todo es ordinario y previsible.

Le gustaría poder contárselo a alguien, ¿a quién? Piensa en su hijo, que apenas la llama. Su hijo no la escucharía.

Gracia no vuelve al parque al día siguiente, ni al otro. No ha podido ir. Curiosamente, ha tenido otras cosas que hacer. Suele tener las tardes libres, terriblemente libres –¡y las mañanas!–, pero basta con que haya atisbos de cambio para que todo se desbarate. Ha tenido que asistir a un funeral –con Julio– y ha tenido que acompañar a su hermana al médico.

Pasados los días, Gracia va al parque. Cruza la plazoleta y se dirige hacia el sendero que recorrió hace un par de días, pasa por delante del banco donde se sentó. Está vacío. Tan vacío que da pena. Gracia apresura el paso y abandona el parque. Nada de penas. Hay mucha gente por la calle, hace buen tiempo. La vida está bien, está bien.

Lo que ocurrió aquella tarde no volverá a pasar. Ya fue bastante extraño que ocurriera, pero ocurrió. Un joven se sentó a su lado, le habló, se rió con ella. Fumaron juntos, imaginaron cosas.

No se acuerda bien de cómo era el joven. Muy agradable.

Cuando sale a la calle, lo busca con la mirada. No sólo cuando atraviesa el parque. Pero no le vuelve a ver.

Un día lo acepta: No volveré a verle. Nunca más.

De pronto, lo prefiere así. Prefiere no seguirle buscando cada vez que sale a la calle, prefiere no esperar ese encuentro.

A veces, mientras mira la televisión, mientras cose, mientras cocina, mientras ordena los armarios, mientras recorre la calle, piensa en el chico del banco y se sonríe para sí. Ya no le parece una cosa extraordinaria, sino una cosa lejana, como un sueño. Sabe que sucedió, pero está dispuesta a pensar que no sucedió de verdad. Más que al joven, se ve a sí misma, sentada en el banco, fumando, hablando y riendo. Eso es lo que le hace sonreír.

A media mañana, recién llegada de la calle, suena el teléfono. Es Julio. Dice: No te asustes, te paso a recoger.

Gracia baja corriendo al portal. El corazón le late con tanta fuerza que apenas puede respirar. Sabe que se trata de su hijo.

Ve a Julio enseguida, dentro del coche. Japi está bien, le dice enseguida. No se ha hecho nada, sólo un rasguño. Pero sus amigos, los que iban en el coche con él, están hospitalizados. Han tenido suerte. Están todos vivos. Gracia no se lo cree. En el fondo de su alma, no se lo cree. Piensa que todo es una mentira para ganar tiempo. Piensa que ha perdido a su hijo, que ya no le verá más.

Llegan al hospital, atraviesan pasillos, suben en el ascensor, más pasillos, buscan el número de la sala donde Japi ha dicho que estaría, junto a los amigos que han tenido que ser ingresados.

Es cierto. Allí está Japi. Lleva una tirita en la sien y tiene la mano vendada. Nada más. Está entero y verdadero. Hay un amigo en la UVI. Otro, aquí, en la habitación. Nada grave. Japi sonríe como Gracia no recuerda haberle visto sonreír. Y la ha abrazado, aún tiene el brazo por encima de los hombros de Gracia.

Hablan de otra chica, la novia de Japi. Primera noticia para Gracia. Se acaba de marchar. Por lo visto, no vive con Japi. Gracia escucha y trata de no perderse ni una palabra de lo que hablan, quiere saber todo lo que no sabe de la vida de su hijo.

Se dice que, al menos, todos le llaman del mismo modo. Le llaman Japi. Incluso Julio ya le llama así. Todos están del mismo lado.

Gracia, Julio y Japi salen del hospital. Japi dice que tiene hambre, que pueden tomar algo en la cafetería de enfrente. Luego, volverá a hacer compañía al amigo. Su familia está de camino.

Se sientan a una mesa. Piden cerveza y bocadillos.

Japi se bebe la cerveza de un trago, devora el bocadillo. Está muy excitado. Habla de los amigos del hospital, les cuenta lo que hacen, cómo son, cómo han reaccionado sus familias. Julio pregunta detalles sobre el accidente. Japi dice que lo tiene todo un poco borroso. Fue de madrugada. No les ha llamado antes para no asustarles.

Julio se levanta para pagar la cuenta. Gracia y Japi se quedan solos en la mesa. A Gracia se le viene a la cabeza la imagen del joven que le habló aquella tarde en el parque. Le gustaría contarle este encuentro a su hijo. Mira, esto es lo que me pasó. Un chico como tú se sentó a mi lado y habló conmigo. Nos reímos mucho.

–Estas cosas te hacen pensar –dice Japi.

La madre piensa: Ojalá pudiera cambiar aquella tarde en el parque por una conversación de verdad con mi hijo. Ojalá se pudiera en la vida cambiar unas piezas por otras. Una pequeña pieza por una pieza muy grande.

Salen de la cafetería. Gracia se tropieza en el escalón de la puerta, Julio la sostiene, Japi se vuelve un momento y la mira. ¿Qué hay en su mirada? Alarma, inquietud.

Gracia se endereza. No me he llegado a caer, se dice. No me hubiera gustado caerme aquí, delante de ellos.

Al otro lado de la calle está la inmensa mole del hospital. Japi se despide. Se inclina hacia Gracia, deja un beso en su mejilla.

–Llámanos –dicen los padres, los dos, casi al mismo tiempo.

–Está vivo –dice luego Julio–, sólo tiene unos rasguños.

¿Qué pensar de la vida ahora? Nos hemos librado de la tragedia, de la muerte. Eso es lo que piensan los dos. Que Japi viva su vida, si quiere, a espaldas de nosotros, pero que la viva. Que viva.

Al llegar a casa, Gracia mira hacia atrás. Entonces lo ve. Es el hombre del parque. No es un chico, ahora se da cuenta. Es un hombre. Él también la ha visto. De hecho, la está mirando, observando. A los dos. A ella y a Julio. Se ha detenido y les está mirando.

¿Qué aspecto tengo?, se pregunta Gracia, mientras sonríe hacia el hombre desconocido.

Levanta un poco la mano, la mueve levemente en un ambiguo gesto de saludo, mientras Julio entra en el portal.

4. DECEPCIÓN

Hacía tiempo que no veía a mi amigo Roberto Enciso, un hombre singular. Este Roberto, este hombre notable, es sumamente camaleónico. Nunca sabes con quién te vas a encontrar, qué fobias o manías puede abrigar ahora. Porque es hombre de fobias. Ha abominado de los cantantes de ópera, sobre los cuales relataba historias truculentas, todas de muy buena fuente, eso sí, todas seguras, comprobadas, de total fiabilidad –lo decía despacio, recalcando: fi-a-bi-li-dad–, y te miraba a los ojos de esa forma suya, errática y furibunda, tan particular.

Los cantantes de ópera, otros cantantes, no de ópera, pero exitosos, encumbrados de repente, los cocineros, también llamados restauradores, cosa que le ponía enfermo, vete a saber por qué, los publicistas, los decoradores, los arquitectos –¡no olvidemos a los arquitectos, por favor, una de sus mayores y más constantes fobias!–, los taxistas –¡por supuesto!–, los tertulianos de la radio, todos con sus grandes opiniones, las mujeres prepotentes, los conductores agresivos –mayoría–, los niños pedantes, los niños pesados... Cientos, miles de personas odiadas, vilipendiadas, objeto del odio exacerbado del buen Roberto Enciso, mi viejo amigo, uno de los hombres más singulares que he conocido.

Un hombre que está siempre en contra de todo. Y que, a pesar de eso, no te acaba de caer mal. Hay algo en él que inspira simpatía. La misma forma en que expresa su furia contra alguien, con su enemigo de turno, no sé, tiene algo de cómico. Es una furia que hace gracia. Yo no recomendaría a nadie que se riera delante de él, por si acaso, por no ofenderle, pero a la vista está que todo eso es una exageración. Como si en el fondo lo supiera perfectamente. Roberto Enciso se hace gracia a sí mismo. Le gusta ser así, decir esas cosas.

Uno se lo imagina cuando está solo y tiene una cara muy apacible. Un semblante apacible, dan ganas de decir. Se casó, se separó y vive ahora con su madre viuda y una tía soltera. Su aventura matrimonial fue breve. Alguien me lo dijo. Su mujer, me comentaron, era muy guapa. Vivieron un tiempo en un pueblo, regentando una panadería, una de esas boutiques del pan que han proliferado por todas partes. Eso es lo poco que sé de la aventura matrimonial de Roberto Enciso.

Si alguna vez me da por pensar en él, me lo imagino perfectamente feliz. Lo veo arrastrando los pies, enfundados en zapatillas de lana gruesa, por el pasillo en penumbra de su piso. Con el semblante apacible.

O sentado a la mesa camilla, tomando café, fumándose lentamente un puro, mientras el cuarto de estar se va llenando de humo y las mujeres, sentadas en otro rincón del cuarto, quizá cosiendo o mirando la televisión, tosen un poco. Pero no protestan. Veo su cabeza desmadejada a la hora de la siesta, recostada en el respaldo alto del sillón de orejas, sus ojos cerrados. Siempre, el semblante apacible.

Me lo encontré a la hora del desayuno en una pequeña cafetería del centro de Madrid, un sitio que frecuento de forma espóradica. Nos vimos, nos saludamos.

–Rubén Torres, tan joven como siempre.

–Hay que mantenerse.

–Vale, hombre, otra vez aquí. Estamos aquí. Esto es lo que hay.

Así hablaba Roberto Enciso. A veces, era un poco críptico. Pronunciaba frases inconexas, como para coger carrerilla.

Mientras consumimos un par de cañas, pasamos revista a nuestras amistades. Le digo, quién sabe por qué, que la vida es absurda, que nada ha sucedido como parecía que iba a suceder. Los que eran más listos y brillantes se han perdido. Los que no valían para nada y andaban todo el tiempo fastidiando a los profesores, han triunfado. Los torpes se han casado con mujeres guapas y ricas, los que sacaban sobresaliente, con mujeres desastradas e incluso feas. Los simpáticos han sido engullidos por la vida. Los antipáticos se han hecho con el control. Quizá todo esto sea como un preámbulo para contarle lo que le quiero contar. Quiero hablarle de la mujer con quien estuve tanto rato hablando, sentados los dos en un banco del parque.

Una mujer anónima, no le pregunté cómo se llamaba, no me atreví. Pasó algo entre nosotros, una especie de chispa. Roberto, hombre filosófico al fin y al cabo, comprenderá el alcance de la escena, el significado que tiene para mí.

–Sí –murmura Roberto Enciso, dejándome con la palabra en la boca–, así van las cosas en el mundo, Rubén. Aunque para historias absurdas, la mía –añade con gravedad.

Por un momento, creo que se refiere a su vida, al matrimonio roto con la mujer con quien se retiró a un pueblo para regentar una panadería y llevar, imagino, una vida bucólica. O a cualquier otra historia de mujeres, como la historia que yo me disponía a contarle. Por distinta que fuera, pero una historia de mujeres. Pero resulta que no.

–Verás lo que te digo –dice–, lo que me acaba de pasar, es algo increíble. Voy a una consulta médica, me dicen, me recomiendan, un médico fenomenal, fuera de serie, un reumatólogo con preparación en Estados Unidos que ha estudiado enfermedades de difícil diagnóstico. Yo, ya lo sabes –yo no lo sabía, aunque sí, desde luego, era algo fácil de suponer, es decir, lo sabía–, he sido siempre muy enfermizo, he tenido todas las enfermedades posibles y muchas imposibles, indeterminadas. Mi pobre madre siempre se ha desesperado conmigo, he sido un niño difícil, no sabía qué hacer conmigo, estaba siempre cansado, siempre con dolores aquí y allá. No sabes por cuántos médicos he desfilado. Les calo enseguida. No saben nada. Lo resuelven todo con recetas. Te miran de refilón, ni siquiera te tocan. No es que me guste que me toqueteen, pero, no sé, antes los médicos te miraban, te palpaban, hacían por enterarse un poco. Ahora nada, te despachan con un par de recetas. Los nervios, dicen, el estrés. Todo el mundo está estresado, vaya cosa.

»Por eso me puse tan contento con este médico –continúa–, me sentía amparado, comprendido al fin. Se interesó por todas las enfermedades que había tenido en mi vida. Me hizo desnudar, me palpó el cuerpo. Me pidió que respirara profundo, ya sabes, aspirar, espirar... Y después me dio toda clase de explicaciones. Como es lógico, ya no me acuerdo de todo lo que me dijo. Pero sí de que sonaba muy bien, se ajustaba a lo que yo era, a la suma total de enfermedades que había sido mi vida. Escribió largo rato. Un tratamiento especialmente concebido para mí, dijo, porque cada enfermo es un mundo, no hay enfermedades sino enfermos, ya sabes, toda esa mierda... Bueno, no es que me hubiera curado del todo, eso no podría ser, habría sido un milagro, toda una vida de enfermedades no puede terminarse de golpe, pero me sentía mucho mejor. Sobre todo, más animado, porque la verdad es que ya me estaba desesperando...

»Por eso no lo acabo de entender –dice Roberto Enciso, pensativo, perplejo–. Había progresado mucho. El caso es que tenía una nueva cita con el médico para comentar cómo me iba el tratamiento, un chequeo. Nada más entrar en su despacho noté algo raro, claro que eso lo comprendí después, pero el médico no se levantó para saludarme ni estrecharme la mano, como siempre había hecho, eso era algo que me gustaba mucho de él, hasta me pasaba luego un brazo por los hombros y a mí entonces me daba la sensación de haber llegado a un refugio, a un hogar. Todo lo contrario, me miró por encima de las gafas, que se le habían resbalado a la punta de la nariz, esas miradas que resultan siempre un poco impertinentes, irritantes, miradas de fiscal. Lo pensé después, lo pienso ahora: aquella mirada me dejó desnudo, absolutamente confundido.

»Yo creo –sigue Roberto Enciso– que después de eso ya no dije ni hice nada a derechas, no di pie con bola, no recuerdo lo que dije, pero seguro que todo resultó absurdo, incongruente. A lo mejor ni siquiera dije que había mejorado, a lo mejor me quejé de todas las enfermedades de mi vida, como siempre, como si ésa fuera una consulta más y no un hallazgo, al fin, una solución a mis males.

»El médico clavó los ojos en mí, esta vez por detrás del cristal grueso de sus gafas. No entiendo lo que me dice, dijo. No sé qué quiere decirme ni por qué me está contando estas cosas.

»¿Qué cosas?, ¿qué es lo que le estoy diciendo?, le pregunto. Es lo de siempre. Soy yo, Roberto Enciso, su paciente, no nos acabamos de conocer, ¿es que no me recuerda?

»Pero él no contestó. Por lo demás, era evidente que me recordaba, que sabía perfectamente quién era yo. Sólo que, sabiéndolo, no lo sabía, ése era el problema, estaba negando ce por be todo lo que yo era. No llego a comprender ni puedo reproducir con exactitud cómo lo hizo, pero me arrinconó. Fue guiándome sutilmente y con mano de hierro, hasta que le dije: De acuerdo, no estoy en condiciones de seguir por más tiempo el tratamiento, ahora no tengo la confianza ni la disposición necesarias, no estoy en lo que estoy, lo dejaremos para más adelante, una cuestión así no puede tomarse a la ligera, hay muchos pacientes, muchos médicos, vivimos en una gran ciudad, el mundo es grande, todo debe hacerse con el máximo cuidado, la precipitación no es buena consejera, hay que darse un tiempo.

»Al cabo de unos minutos, yo estaba en la calle –dice, aún asombrado, estupefacto, Roberto Enciso–. Estaba en la calle y ya no tenía médico ni tratamiento ni refugio ni hogar. Otra vez en la calle con todas mis enfermedades a cuestas. Mis enfermedades incurables, tenaces, pesadas como plomo, cargas que llevo como puedo desde la infancia. Otra vez sin solución, sin nadie que me eche una mano.

»Te digo que no lo puedo entender, Rubén, te lo digo de verdad. ¿Por qué?

Yo miraba a mi viejo amigo Enciso, famoso por sus fobias. Será una historia inventada, me decía, una historia que servirá para justificar su odio a los médicos, que dentro de un momento se derramará de su boca como un torrente. Famoso por sus fobias y con esa historia del matrimonio truncado a sus espaldas. Y todo eso que yo había imaginado de él. Su vida apacible en casa de su madre viuda y de su tía. Su semblante apacible a todas horas.

A lo mejor su vida no era tan apacible. A lo mejor se estaba volviendo loco.

–Mi único consuelo son las mujeres –le digo, a pesar de que sé que, ensimismado como está, no va a escucharme. Pero no puedo quedarme callado, ¡yo también tengo mi historia!–. Ya sabes, el alma femenina. Es impresionante. Las mujeres saben soñar. Las mujeres hablan y te cuentan cosas, aunque no las conozcas de nada. Hablan contigo con la mayor naturalidad, como si te conocieran de siempre, como si fueran viejas amigas. Es muy curioso. Me pasa continuamente. Las localizo enseguida. Veo a una mujer, una mujer completamente anónima, sentada en un banco del parque, y me acerco a ella. No pasan ni cinco minutos y ya estamos hablando, ¡y con qué confianza! No puedes imaginar qué intimidad se establece entre nosotros. Yo, Roberto, no sé cómo llamar a eso que sucede entonces, aunque no siempre, claro, es como si de pronto dos personas soñaran lo mismo y a la vez. Eso, ¿cómo se llama? Nadie lo sabe, es un misterio.

Otro preámbulo, sí. Y aquí me quedo. De pronto, me basta con esto. Ya no le describo detalladamente la escena del banco del parque, no le digo cómo era la mujer, de qué color era su pelo, qué edad tenía, cómo iba vestida, de qué estuvimos hablando tanto tiempo.

–Vives en la nubes –dice, con vago menosprecio, Roberto Enciso.

Me despedí de él, me mantuve dentro de mi

nube y, poco a poco, me olvidé de su drama. Ni por un momento se me había ocurrido preguntarle a mi amigo el nombre de su médico. Había escuchado su historia, pero mi interés no era para tanto. Hay cosas peores, mucho peores, a que un médico te eche de su consulta. Ni siquiera había sido eso. Simplemente, había cancelado las consultas. Podía parecer absurdo, pero ¿quién sabe? A lo mejor es que quería quitarse a Roberto Enciso de encima, a lo mejor Roberto Enciso se había llegado a convertir en una verdadera pesadilla para el médico, un paciente intratable, alguien a quien hay que alejar como sea de ti antes de que constituya un peligro. Hay pacientes que agreden a sus médicos, he leído alguna noticia de éstas en el periódico.

Meses más tarde, en una reunión familiar, mi hermana Mabel dijo:

–Ha enloquecido.

¿De quién estaba hablando? De su médico.

Al parecer, le había dado por decir que era especialista de no sé qué extrañas enfermedades y de esta manera había aumentado su clientela de forma espectacular. A mi hermana, paciente de toda la vida, no le daba cita, como si la quisiera borrar de sus archivos. Quizá su historial había sido tirado a la papelera.

Eso ya era muy raro, que no la quisiera ver, pero luego había ido sabiendo que aún había cosas más raras. Por casualidad, Mabel había estado hablando con uno de los nuevos pacientes del médico y le había dicho que a él también le había dejado. Un día, había acudido a la consulta y el médico le había comunicado que ya no le iba a atender más. El paciente, indignado, había hecho averiguaciones. No era el único al que le había pasado esa cosa tan rara. Cada vez eran más numerosos los pacientes que, de pronto, eran rechazados. Sí, eso era lo que estaba pasando. El médico, al principio, se entusiasmaba con los pacientes, les prometía casi milagrosas curaciones, pero, al cabo, los abandonaba. Prácticamente, los ponía en la calle.

El paciente había considerado la idea de denunciarle y estaba estudiando cómo plantear el asunto, pero el desenlace había venido por sí solo. En un plazo de tiempo muy corto –dos o tres meses, como mucho–, el médico se había ido quedando sin pacientes y había pasado meses recluido en su consulta, presa del pánico. Lo habían tenido que ingresar.

Vino a mi memoria el relato de Roberto Enciso. ¿Me volveré a encontrar con él, me pregunté, y podré decirle que no fue el único en padecer aquella extraña y, por lo que me dijo, traumática experiencia con el médico?

Han pasado los años y no sé nada de Roberto Enciso. Ojalá haya llegado a olvidar el desasosiego que sintió en medio de la calle, después de que el médico lo echara de su consulta. Ojalá haya llegado a su conocimiento la noticia de que aquel hombre estaba loco y que él, Roberto Enciso, con todas sus fobias y singularidades, era una persona razonable. Ojalá haya recuperado la calma que yo le suponía y ande ahora con toda tranquilidad por el pasillo de su casa, arrastrando los pies enfundados en viejas zapatillas de lana, o esté echando una cabezada en el viejo sillón de orejas del cuarto de estar, mientras su madre y su tía hablan en susurros para no despertarle.

Entretanto, yo sigo por aquí, paseando sin rumbo por las calles, dejando pasar la tarde en un café, o sentado, si es que hace buen tiempo, en un banco del parque, respirando el aire renovado bajo las copas de los árboles, urdiendo historias a solas o en compañía de desconocidos, buscando a una mujer de la que enamorarme para consolarme del desencanto del mundo. Quizá ahora mi amigo, conociendo ya la causa del comportamiento de su médico, sabiendo que, en todo caso, no tenía nada personal contra él, dejaría de lado su ira y su aire de desprecio y me comprendería perfectamente. Estoy seguro.

5. PISANDO JARDINES

A veces pienso en ella, en la joven rubia de la boutique del pan. Sólo estuvo un invierno, ese largo invierno en el que no paró de llover. Siempre me he dicho que se fue por culpa de la lluvia. Estaba ahí, al otro lado del mostrador, con una ancha sonrisa en los labios, envuelta en el cálido olor del pan, los brazos cruzados bajo el pecho, a la espera de los clientes, como si hubiera nacido para eso, para tener una panadería en un pueblo perdido que no era el suyo.

Su marido se ocupaba del horno y de algunas cosas más, nadie sabía a ciencia cierta de qué, pero estaba claro que habían venido al pueblo por él, para que él disfrutara de la calma que dicen que quitan las ciudades. Yo no sé qué cosas tenía el marido entre manos, ni me acuerdo de su nombre, pero él no era del todo panadero, la panadera era ella. Al marido se le veía poco. Vivían a las afueras, en una de las casas de ladrillo rojo con pequeños jardines que construyeron hace unos veinte años, cuando se instaló la fábrica de muebles y parecía que el pueblo iba a crecer. A nadie le gustaban mucho esas casas, pero creo que desde aquel año, desde el invierno que pasaron ellos en el pueblo, las casas empezaron a gustar. No estaban tan lejos, los jardines no eran tan pequeños. La panadera vivió aquí, decían, ¿te acuerdas?, aquella rubia, tenía un perro que la seguía a todas partes, uno de esos perros con flequillo.

Se llamaba Malica, no sé de dónde venía este nombre, pero así la llamaba su marido y así la llamábamos todos, Malica.

–¿Has visto cómo llueve, Malica? –decía alguien, al entrar en la panadería sacudiéndose el agua del abrigo, dejando el paraguas cerrado en un rincón.

–A mí me gusta la lluvia –decía Malica, con su eterna sonrisa–. Me da mucha calma.

Así era siempre, la gente quejándose de la lluvia y Malica disculpándola, como si creyera que alguien tuviera que hacerlo, disculpar a la lluvia.

Me asombraba que una chica tan joven hubiera venido al pueblo para eso, para poner una panadería y sonreír a los clientes detrás del mostrador. Pero Malica estaba casada, eso lo cambiaba todo. Y eso me hacía pensar que, antes de nada, yo tenía que salir del pueblo. Nada de bodas. Ninguno de los chicos del pueblo me gustaba. Cuando me casara, sería con alguien que tuviera un poco de mundo, pero con alguien que no me llevara a un pueblo desconocido y me hiciera poner una panadería. El enigmático marido de Malica no era un modelo de marido para mí. Así que yo admiraba a Malica, porque parecía feliz en su boutique del pan, y era guapa y rubia y vestía de forma desenfadada, como si estuviera muy acostumbrada a vestirse sin pensar en los demás, y, a la vez, me compadecía un poco de ella. ¿Ésa era la vida a la que había aspirado?, ¿no había tenido otros sueños? Parecía muy joven, no podía llevarme muchos años, y ya estaba casada, ya estaba al frente de un negocio, se había recluido en un pueblo, precisamente el pueblo del que yo quería salir.

Pienso en Malica mientras me encamino hacia la casa de los Salcedo en esta tarde de verano en que el sol cae a plomo sobre las losetas de la acera y yo voy buscando el cobijo de la sombra de los muros y de los árboles. Al pasar por delante de las casas de ladrillo rojo, siempre pienso en Malica. Por un momento fugaz, la veo apoyada en el mostrador, un mechón de pelo rubio sobre la frente, sonríe, me dice adiós. Veo a su perro gris echado a la puerta de la boutique del pan, Malica sale con una bolsa de plástico colgando de su mano, el perro se despereza, se pega a sus piernas. Se fue. No soportó la lluvia, no soportó esta soledad.

Dejo atrás la casa donde vivía Malica. Este camino está bordeado de altas tapias y grandes verjas tras las que se vislumbran grandes jardines y grandes casas. No sé quién vive en estas casas. Pertenecen a personas cuyos apellidos se pronuncian en el pueblo en tono de respeto, casi de miedo, pero creo que sólo conocemos los apellidos, no a las personas que los llevan. O si las conocemos, como en el caso de los Salcedo, a cuya casa me dirijo ahora, tenemos la impresión de que el apellido está siempre por encima y que esa persona con la que hablamos es un mero accidente. Y eso es lo que es en realidad esta persona, esta señora de Salcedo a quien ahora voy a ver, es una representante transitoria sobre la tierra del espíritu ancestral de los Salcedo.

Quizá sea así porque el nombre de los Salcedo ha estado siempre muy presente en mi familia. Cocineras, doncellas, jardineros, chóferes... Todo este surtido de empleados en casa de los Salcedo han salido de mi familia. Para eso voy yo, para trabajar. Es un trabajo de verano, voy a cuidar a los hijos de esta joven señora Salcedo con quien he hablado por teléfono. No les he visto nunca, ni a los niños ni a ella, no han bajado al pueblo todavía, eso me ha dicho ella, acaban de llegar, la cocinera le ha hablado de mí, sabe ya cómo soy, lo que estoy estudiando, conoce mis planes y, eso no lo dice, pero se percibe en el tono complaciente de su voz, todo le parece muy bien.

–Ven cuanto antes, hoy mismo, después de comer, si te parece –ha dicho–. Quiero que conozcas a los niños, a ver cómo os caéis.

Y aquí estoy, a las cuatro y media de la tarde, protegiéndome como puedo del sol, andando por la acera en la que se suceden las verjas y las tapias de las casas de los veraneantes de siempre, de los ricos de siempre, estas villas de nombres que pertenecen al gran mundo cuyo núcleo está fuera de este pueblo del que ya incluso la joven señora Salcedo sabe que quiero salir.

Alzo mi mano y pulso el timbre que está en el centro de una flor de bronce. Siempre me ha llamado la atención este timbre. Por primera vez, está aquí, bajo mi dedo, por primera vez lo presiono.

La verja del jardín de Villa Magnolia, al que me he asomado tantas veces, se abre para mí. No veo a nadie. Avanzo por un estrecho sendero de tierra. He entrado en un territorio umbroso, hay árboles de todas clases, la luz se filtra entre las ramas y cae sobre los arbustos, sobre la tierra en la que crece hiedra y brezo. Los magnolios son enormes, pero son las hortensias lo que más llama la atención. Rodean la casa y las escaleras de piedra por las que ahora subo.

Me abre la puerta una mujer mayor con cara de pocos amigos, me dice que espere. Me quedo aquí, junto a la puerta. Esta casa me parece demasiado oscura. Me siento tan intimidada que casi no me atrevo a mirar a mi alrededor. No me viene mal ganar un poco de dinero, no tengo nada que hacer este verano, pero ahora mismo me iría de aquí, me escaparía sin hablar con la joven señora Salcedo, sin conocer a sus hijos, sin llegar a un acuerdo con ella para venir a pasar un rato con ellos o a sacarles de paseo.

Se abre una puerta y aparece una mujer menuda, una mujer insignificante a quien nunca miraría por la calle. Me sonríe, me da dos besos, me lleva con ella hacia un pasillo que conduce a una galería luminosa, ¡al fin luz! Aquí están los niños. Gabriela tiene cuatro años. Héctor, dos. El bebé está dormido en un canasto forrado de piqué y tiras bordadas. Le digo a esta mujer insignificante, que sonríe y habla sin parar, que me arreglaré con ellos. Estoy familiarizada con los niños, soy la mayor de cinco hermanos.

Es decir, somos. Tengo una hermana gemela. Pero en este momento es mejor no hablar de ella. Está enamorada y sólo vive para eso. No le puedes ir contando planes de salir del pueblo. Se ha enamorado y el pequeño mundo que conoce, donde vive su amor, le parece el paraíso. Teresa, mi gemela, es como si no existiera.

–Ya sé que eres muy buena estudiante, Celia –dice la mujer.

Lo ha dicho en un tono de complicidad. Lo sabe todo de mí. Ha pronunciado mi nombre con una naturalidad sorprendente, como si estuviera muy acostumbrada a hacerlo, como si estuviera muy acostumbrada a mí. En cambio, yo no sé cómo llamarla y no la llamo de ninguna manera.

Esta joven señora Salcedo, salta a la vista, es una mujer a quien lo poco que sabe le parece siempre suficiente. Sospecho que no tiene capacidad para almacenar mucha información. En todo caso, no tiene interés. Ya sabe mucho.

–Es la primera vez que pasamos el verano aquí –me informa–. Pero una amiga mía me insistió en que viniera. Estuvo aquí hace unos años, tenía una panadería, la boutique del pan.

No me lo acabo de creer. Esta mujer no tiene nada que ver con la joven rubia de la boutique del pan.

–Malica –digo.

–Malica Campos, ¿la conoces? –pregunta, asombrada, sin considerar el hecho de que una panadería es un local abierto al público, ¿es que yo no puedo comprar pan en la boutique del pan?

Por lo demás, yo no conocía su apellido, para mí era sólo Malica, ¿es que el apellido cambia las cosas? La señora Salcedo lo ha pronunciado como si se tratara de un nombre mágico, una clave por la que acceder a un mundo que sólo está al alcance de unos pocos privilegiados.

–Pasó aquí un invierno –digo–, el año de las lluvias. ¿Puso otra panadería en otro lugar?

La mujer insignificante hace un gesto que quiere expresar absoluto desacuerdo, ¿otra panadería?, ¡qué disparate!, con haber probado una vez basta, por Dios...

–Ha vuelto al cine, que es lo suyo –dice–. Ahora está rodando una película. Se separó del inútil de su marido, menos mal. Todo eso fue una locura. No sé cómo se le pudo ocurrir, ese hombre, ese Roberto Encinar o como se llamara, Encinar o Enciso, no sé, da igual, era un hombre absurdo, un hombre que no servía para nada, se quedaba siempre allí, mirándote, callado, Dios sabe qué tenía en la cabeza, no sé qué pudo ver Malica en él, hasta el punto de dejarlo todo y poner una panadería en un pueblo como éste, vaya idea. Ese hombre me ponía enferma, tan callado y con esos ojos que parecían atravesarte. Bueno, al fin se libró de él. A lo mejor viene a pasar unos días con nosotros. Dice que le gustaría rodar una película en una de estas villas decadentes. Una especie de recorrido por las villas, eso dijo que le gustaría hacer, un camino que las atravesara todas, pasar por todos los jardines, eso dijo.

Posa sus ojos en mí y sé que ya hemos hablado demasiado de Malica. Malica Campos, su amiga. Volvamos a lo nuestro.

–Mira, Celia, ¿podrías empezar hoy? –pregunta–. Así los niños te van conociendo. Les vendría bien un paseo después del viaje.

–Ahora no puedo –digo–. Pensaba que empezaría mañana.

–¡No pasa nada! –dice, casi gritando, y agita las manos en un aspaviento exagerado–. Mañana, fenomenal. ¡Gaby, Héctor!, venid a decirle adiós a Celia. Lo vais a pasar estupendamente con ella.

Los niños me miran, sopesándome. Pero me dan un beso, se quedan un momento pegados a mi cuerpo.

–¿Vas a jugar conmigo? –me pregunta Gaby.

Le digo que sí, que jugaré con ella y con su hermano, que los llevaré de paseo, que les enseñaré muchas cosas del pueblo. Por unos instantes, les libro de la prisión de Villa Magnolia, de la mujer insignificante que parece ser –y no lo es, es dañina– la joven señora Salcedo.

Ya sé qué es lo que me espera mañana cuando me encamine hacia la villa de los Salcedo. Me las arreglaré. Mis días de verano tienen mucho tiempo libre, necesito dinero, me gustan los niños.

¿Y Malica? Aún la puedo ver ahí, con los brazos cruzados bajo el pecho, al otro lado del mostrador, sonriente, disculpando la lluvia constante de aquel invierno.

Miro hacia las altas tapias y las grandes verjas de las villas que Malica, ahora que ha vuelto al cine, se propone utilizar como escenario de una película. Vislumbro esos jardines por los que pasará la cámara, esos jardines que yo nunca he pisado. Me pregunto si me reconocerá, si hablará conmigo, si existirá ese momento en que recordemos juntas el largo invierno de lluvias en el que ella fue panadera en este pueblo del que quiero huir.

No lo sé, sólo sé que voy deshaciendo ahora el camino de las villas, que voy andando por la calzada, que los jardines donde la luz del sol se filtra a través de las copas de los árboles para crear un mundo resguardado y mágico están al otro lado de las verjas, y que no estoy regresando al pueblo pisando jardines, como en la película que quiere hacer Malica, si es que es verdad lo que me ha contado la joven señora Salcedo, esa mujer insignificante.

6. DESCUBRIMIENTO

Celedonio Covaledo no estaba seguro de nada. Vivía atemorizado. De lo que más miedo tenía era de que los otros descubrieron su miedo. ¿De dónde venía su miedo? Se lo preguntaba muchas veces, casi constantemente. Venía de una especie de indeterminación. Celedonio Covaledo no sabía quién era. Todo el mundo sabe quién es. Pero Celedonio Covaledo no. No tenía ni idea. Miraba a los demás y les veía dueños de sí mismos, seguros, incluso confiados, como si no tuvieran nada que defender, nada que ocultar.

Por las noches, se desvelaba pensando en cómo salir de ese estado, pero nunca llegaba a una conclusión. ¿Por qué seré así, se preguntaba, esta especie de cosa que no se sabe qué es, este ser flotante, indefinido y amedrentado?, ¿habrá algo debajo de todo esto?, ¿descubriré algún día quién soy, ya que, al parecer, todo el mundo, por fuerza, ha de ser alguien, un ser distinto de todos los demás?

A veces, al rayar el alba, sentía una especie de intuición de ser algo, una persona, sí, un hombre, sí, y más que eso, bastante más que eso, una persona especial, un hombre extraordinario. Claro que esta sensación duraba muy poco. Era como una ráfaga, un golpe de luz que pasaba deprisa y que luego apenas podía recordarse. No dejaba huella.

En todo caso, lo importante, lo absolutamente esencial, era que nadie sospechara nada. Nadie tenía ni la más remota idea de las dudas e incertidumbres en las que vivía Celedonio Covaledo. Eso lo había intuido –en otro golpe de intuición– desde su más tierna infancia: que era imprescindible que los demás no conocieran el abismo de inseguridad en el que había caído nada más nacer. Había que sobrevivir, no se sabía por qué ni para qué –quizá a la espera de que la intuición se aposentara en él y se le revelara de una vez por todas la verdad–, pero así eran las cosas, y Celedonio Covaledo las aceptaba, fiel a su idea, la única idea por la que se guiaba, de aceptarlo todo. ¿Y qué otra cosa podía hacer? Cuando se disimula, se acepta todo. El silencio se apodera de uno, se convierte en manto protector.

Celedonio Covaledo lo admitía todo. No estaba seguro de nada, pero lo admitía todo.

Bien. Al menos, había una cosa que sí parecía segura. Era chico. No chica. Estas cuestiones del sexo, más que un enigma, como oía que les parecía a los demás, eran, a su entender, cosas muy borrosas. Estaban lejos, las miraba de lejos. No las entendía, no le acababan de interesar. Estaba claro que todo el mundo les daba mucha importancia. Lo mejor era seguirles la corriente. Que eran importantes, pues bueno. Que había que celebrar chistes y bromas de gusto más que dudoso, pues a sonreír discretamente y, en casos límites, a mirar a otra parte.

Le llamaban Cecé. Fue un nombre que le pusieron en la escuela del pueblo. Cada vez que oía su nombre entero, Celedonio Covaledo se estremecía. ¡Celedonio Covaledo!, ¡qué maldición de nombre!, tan largo, tan rítmico. No era él. Él sólo era miedo a que le descubrieran, a que le castigaran por no saber lo que era. ¿Podía existir el miedo –la nada cubierta de miedo– cobijada en un nombre tan largo, un nombre que, cada vez que era pronunciado, le estremecía, como si encerrara en él un secreto, un tesoro que, desde luego, no era él? Se refugió con gusto en el sobrenombre de Cecé. Cecé respondía perfectamente a lo que era. A la indeterminación, a la inseguridad, al pavor. Cecé podía ser cualquier cosa. Un niño, un hombre, una mujer, un perro. ¿Qué harían con él cuando se enteraran?, ¿en qué cárcel espantosa le meterían para pagar el delito de su incertidumbre?

Inseguro como era, paralizado por las dudas, Cecé no daba un paso que lo alejara de la rutina, y así fue, a los ojos de los otros, un hombre perfectamente normal.

Su infancia y su adolescencia transcurrieron sin estridencias. Mientras vivió en el pueblo, se pegó, casi literalmente, a una especie de líder, Julián Morales, un chico muy despabilado y bien parecido, que concitaba la atención general. Le seguía a todas partes, se convirtió en su sombra. Repetía sus palabras, sus gestos, creía adivinar todos sus sueños y ambiciones, que también eran suyos. Suyos, sin ser suyos, sin tener que responsabilizarse de ellos. Sólo tenía que estar allí, siempre al lado de su amigo. Callado, cuando el otro callaba. Riendo, cuando el otro se reía. Corriendo detrás de las chicas del pueblo los días de fiesta. Infringiendo las normas que al amigo le parecían fastidiosas. Fumando cigarrillos secos cuando había que fumar.

Aquélla fue una etapa feliz. Cecé pensaba que la vida sería siempre así, bastaba con saber escoger, con encontrar a alguien que lo amparara, aun sin saberlo, alguien que actuara de pararrayos ante los demás. De esta manera, pasó lo más desapercibido posible.

El traslado a la capital, con el objeto de abrirse camino como funcionario público, fue algo traumático. Echaba de menos a su amigo Julián. Sabía que lo había perdido para siempre. La vida era terrible. Presentía que estaba hecha de pérdidas. En todo caso, Cecé fue, como no podía ser menos, un estudiante ejemplar. Se impuso como norma hacer lo que hacían los demás, pero un poco menos. Salía de casa con menos frecuencia que sus compañeros, hablaba menos, se movía menos. Redujo al máximo el margen de peligro. Las normas sociales eran su más seguro amparo. Nunca una infracción, un paso en falso. ¿Un paseo nocturno por una vereda desconocida?, ¡ni hablar! ¿Llegar a la oficina con retraso?, ¿comer más de la cuenta?, ¡ni siquiera eso! Cecé cumplía las normas de la vida con meticulosidad, con un punto de extravagancia.

Y las normas no son tan fáciles de cumplir. No de esa manera. Se pueden cumplir un poco, grosso modo, para seguir la corriente a los demás y no convertirse en un extraño, pero, si se siguen con tanta dedicación, agotan. Y Cecé, que ya era un cuarentón, estaba agotado. Naturalmente, era un hombre casado, tenía tres hijos, un trabajo en una oficina, todo, en fin, perfectamente normal.

Se había casado, como no podía ser menos, con una de esas mujeres muy capaces que le resuelven la vida a todo el que se ponga delante de ellas, le guste o no. Una mujer acostumbrada a mandar, una Salcedo de pura cepa.

Un día, Celedonio Covaledo desapareció. Salió de casa después de haber desayunado, como lo había hecho todos los días de su vida, una buena taza de café y una rebanada de pan tostado con mantequilla, su única pasión secreta, y ya no se supo más de él. No fue a la oficina, no volvió a casa a la caída de la tarde. Nadie lo había visto. Nadie veía nunca a Cecé, nadie recordaba cuándo había sido la última vez que había hablado con él, nadie pudo decir en qué momento del día, si es que fue durante el día, Cecé desapareció. La ausencia de Cecé no dejaba ningún hueco, ningún silencio.

Pero por mucho que fuera una ausencia difícil de advertir, se acabó notando. Su lugar en la mesa estaba desocupado, el plato de la cena vacío, el lado que le correspondía en la cama matrimonial, liso, desierto. Las pesquisas empezaron por la mañana. La policía se volvió loca. Jamás se había topado con un caso en el que hubiera menos pistas. ¿Es que ese Celedonio Covaledo existía?, se llegó a preguntar el jefe de detectives. El propio Celedonio Covaledo le hubiera dicho que no.

Pasó mucho tiempo antes de que se conociera el paradero de Cecé y se pudiera, al fin, rescatarlo del agujero negro en el que, al cabo de ir bajando peldaños en la escala social, se había hundido.

El inicio de esta aventura es algo confuso. Es muy probable que, andando por la calle, en algún momento del trayecto de su casa a la oficina, Celedonio Covaledo tropezara con algo, se cayera y perdiera el conocimiento, puede que, después, un ladrón le robara la cartera y que, recobrada ya la conciencia, se encontrara en el más absoluto de los vacíos, desprovisto completamente de memoria. Algo de esto debió de suceder.

Lo que sí se sabe es que este nuevo Cecé era, en el fondo, muy parecido al anterior. No sabía cómo se llamaba, no sabía dónde estaba, no sabía qué hacía en el mundo. No sabía con entera certeza si estaba vivo o muerto. Pero, a diferencia de lo que le pasaba en la etapa anterior, ahora la ignorancia no le causaba la menor preocupación. No sabía quién era y no le importaba.

¿A qué se dedicó Celedonio Covaledo en esta segunda etapa de su vida? Hacía lo que le venía en gana. Cuando tenía hambre, robaba. Descubrió que era sumamente sencillo inspirar miedo a sus semejantes y que, con la fuerza, se obtiene todo lo que se desea. Por su parte, él no tenía nada que perder, puesto que no tenía nada y no se proponía llegar a tener nada ni llegar a ser alguien. No había obstáculo que no pudiera ser librado ni límite que no se pudiera sobrepasar. Jamás se preguntaba si las cosas que hacía causaban daño a los demás, ni se atenía a las normas morales del bien y del mal, palabras que no tenían el menor sentido para él.

Pasó por varias cárceles, por muchos albergues de vagabundos, se cobijó a la sombra de muchos puentes y de muchos árboles y sin duda infringió todas o casi todas las normas que rigen la convivencia entre los seres humanos.

Bebía licores baratos y se arrastraba por las calles, dormía al fresco, mendigaba, escupía confusos insultos cuando alguien le apartaba de su lado.

Cayó enfermo y no le importó la proximidad de la muerte. Si no sabía lo que era la vida, ¿qué importancia podía tener avanzar hacia su final?, ¿qué más daba ignorar, asimismo, lo que era la muerte? Celedonio Covaledo no se hacía preguntas, no se imaginaba la existencia de otra vida en la que se recompensara o se castigara la primera. No se imaginaba la existencia de ningún juez, la posibilidad de realizar balance alguno.

Llevaba varios días tendido, medio inconsciente, en un callejón. Los empleados de la limpieza creían que era un bulto de ropa vieja, pero no les pagaban para recoger toda la basura que encontraran, sino para vaciar en sus camiones los cubos y contenedores donde la gente arroja la basura. Uno de los empleados, quién sabe por qué, se acercó una noche al oscuro bulto y vio que allí dentro había un hombre. Lo que quedaba de un hombre. Lo que quedaba de Celedonio Covaledo, que tanto había dudado de ser una persona, que nunca había sabido quién era.

El empleado de limpieza llamó al ayuntamiento. Había un moribundo en un callejón. Un ser humano tiene derecho a morir con cierta dignidad.

Así, Celedonio Covaledo fue llevado a un hospital, fue despojado de sus ropas rotas y malolientes, su cuerpo fue fregado con energía por un celador, envuelto en una camisola de algodón y acostado luego en una cama de metal cromado. Una cama de hospital. La primera cama en la que se tendía su cuerpo desde hacía años.

Pero ¿quién era ese hombre?, ¿alguien sabía que se llamaba Celedonio Covaledo? Ni siquiera lo sabía él.

El caso es que, cuando Celedonio Covaledo, años atrás, había desaparecido, su mujer se dijo que eso era una señal divina, un castigo por su falta de fe en la trascendencia divina de la humanidad. Porque esta mujer tan capaz, esta mujer fuerte, esta Salcedo de pura cepa, tenía profundas dudas religiosas. Le costaba conciliar el sueño. Cerraba los ojos y sólo veía nubes oscuras, más negras que el carbón. Unas voces como de ultratumba atronaban su cabeza y la concitaban a dejar que el mundo sucumbiera. No valía la pena tratar de mantenerse a flote, ¿a qué venía estar tan pendiente de todo? La vida no tenía sentido. Sólo había demonios.

La desaparición de su marido vino a dar a la vida de Dolores Salcedo ese significado que hasta el momento había intentado encontrar –a sabiendas de que no estaba ahí, sólo lo hacía para entretenerse, para distraer sus pensamientos– en la inacabable cadena de quehaceres que se imponía a sí misma. Había llegado el momento de pagar por los pecados. Fue así como se dedicó en cuerpo y alma a la caridad. Cumplía a rajatabla las obras de misericordia, y una de ellas, como se sabe, es la que manda socorrer a los enfermos. Ésta fue la obra de misericordia en la que se volcó la mujer de Cecé. Recorría los hospitales y preguntaba por los enfermos a quienes no iba a visitar nadie, los enfermos sin nombre, los parias.

Este cometido había borrado de la cabeza de la mujer toda reminiscencia de quien había sido su marido durante los fugaces años de su juventud. No se acordaba ya de Celedonio Covaledo. Nunca pensaba en él.

Pero el destino tiene sus propias leyes.

La mujer entra en el hospital donde está ingresado Celedonio Covaledo sin saber, naturalmente, que se va a encontrar con él.

Hace sus visitas de costumbre. Hace tiempo que en este hospital está ingresado un médico, completamente loco, abandonado por su familia, si es que aún tiene alguna, y con quien Dolores Salcedo ha hecho muy buenas migas. También el médico tiene remordimientos en sus brevísimos instantes de lucidez. En cierto modo, este hombre, Máximo Bermúdez, y ella, Dolores Salcedo, son de la misma estirpe. Los descreídos que necesitan creer. De manera que pasa un rato con él, hablando cada uno de sus cosas, siguiéndose mutuamente la corriente –es difícil saber, en estos momentos, quién es el loco y quién el cuerdo– y pregunta luego, como hace siempre, por los enfermos que acaban de ser ingresados y de quienes no se conoce ni el nombre.

Se dirige a la inmensa sala donde los últimos en llegar al hospital esperan a ser trasladados a las habitaciones. Le dan el número de la cama de un hombre que ha sido encontrado, inconsciente, en un callejón.

Aquí se encuentra Dolores Salcedo, a los pies de la cama del hombre sin nombre.

Puede que ocurra un milagro. El hombre, el cuerpo recién lavado, restregado con fuerza, rescatado de la mugre, envuelto en la camisola, cubierto por la sábana blanca, abre los ojos.

Dice: Eres Dolores Salcedo y yo soy Cecé, tu marido, cuyo nombre de nacimiento es Celedonio Covaledo.

A Dolores Salcedo casi le da un desmayo. ¡Celedonio Covaledo!, ¡si es que se había olvidado de él! Claro que Celedonio Covaledo era su marido, pero ¿es que ese hombre podía ser él?

Sin embargo, el hombre da muchas muestras de ser quien dice que es. Se incorpora en la cama y habla con una gran cordura. Da detalles de su vida anterior. Y, finalmente, le dice a la mujer:

–No es tiempo de lamentaciones, sino de llevar a cabo aquello para lo que nacimos. Yo al fin sé quién soy, aunque me haya llevado mucho tiempo saberlo. Estos años han de olvidarse, por mucho que hayan sido necesarios. Vamos a olvidarlo todo. Estos años y los anteriores. Naturalmente, no tienes por qué vivir conmigo, aunque, por mi parte, yo estoy dispuesto a vivir contigo, porque me gustaría mantener un punto de coherencia. En fin, tú decides.

Dolores Salcedo no sale de su asombro. Al cabo de los años, cuando se ha acostumbrado a vivir sola, su marido reaparece y habla como una especie de oráculo. Señales divinas, ¿quién se atrevería a oponerse a ellas?

De manera que, una vez recuperado –y la recuperación tuvo también algo de milagroso–, Celedonio Covaledo es llevado por Dolores Salcedo a su antigua casa.

¿Cómo es ahora Celedonio Covaledo, el viejo Cecé? Quien no lo hubiera tratado mucho puede que no pudiera advertir el cambio. Pero es un hombre completamente distinto. Es una persona como todas las demás.

No parece tener más dudas de las que tienen habitualmente el resto de los seres humanos. Ni más miedo, ni más confianza en sí mismo, ni más seguridad. Algunas noches, duerme de un tirón. Otras, se desvela. Entonces, sale con sigilo del dormitorio, para no despertar a su mujer, que parece dormir profundamente, y va a la cocina. Se calienta un poco de leche. La bebe despacio, sentado a la mesa. ¿Qué más da si uno se desvela?

Ve las escenas de su vida como si fueran secuencias de una película. No piensa, simplemente ve pasar las imágenes. Cada cierto tiempo, se mira las manos y el pozo negro del café donde se refleja la luz.

Se mira las manos y se dice que todo cambia

y pasa muy deprisa, pero que las manos son siempre las mismas, lo recogen todo, lo absorben todo, todo cabe en las manos, todo está aquí. Sostiene un cigarrillo entre los dedos, sin encenderlo. Y su mirada se ilumina, como si hubiera retrocedido de pronto a una época feliz, cuando la seguridad consistía en eso, en tener en la mano un cigarrillo, en saber que a su lado estaba alguien, el mejor amigo que haya tenido nunca, a quien todos en el pueblo admiraban y habrían querido tener a su lado.

7. HAGAN JUEGO

Recién cumplidos los cincuenta años, Mabel Torres se dice que ha llegado el momento de hacer las cosas que nunca se ha atrevido a hacer. No sabe qué cosas, las que sean. Sencillamente, eso. Atreverse.

Los días son cada vez más largos. Y, hasta cierto punto, más inútiles también. Los hijos ya no viven en casa. Borja, su marido, habla muy poco. Llega a casa a última hora de la tarde, agarra una cerveza y se tumba en el sofá, frente al televisor. A ratos, cierra los ojos. Se le cierran. Está agotado. No tiene ganas de hablar, ¿de qué?, ¿hay tantas cosas de las que hablar a estas horas?

Mabel, a punto ya de vencer el día, con sus cincuenta años recién cumplidos, mira a su marido, echado en el sofá, cansado, sus ojos medio cerrados, y se dice que tampoco ella tiene muchas ganas de hablar con él. No tiene nada que decirle. Las cosas que se le han ido ocurriendo durante el día no tienen sitio aquí, ya ni las recuerda.

Pero tener a su marido ahí, callado, desmadejado y ausente sobre el sofá, es un peso. Quién sabe por qué, pero es un peso. Quizá la culpa no sea de él, ni de ella. Quizá sea una de las culpas de la vida. De esa vida que a veces pesa demasiado.

Y a Mabel se le ocurre una cosa, una cosa muy pequeña. ¡Pasar un día enteramente sola! Nada más. Un día al mes, sólo eso. ¿Es que no se va a atrever a pedírselo? Mira –le dice a su marido para sus adentros–, es sólo un día, eso es lo que quiero, estar sola todo el día, no tener que pensar en qué poner de comer, en qué hay de cena, no pensar en nada, ni en la lavadora, en nada, un día de asueto, así lo llamaban en el colegio. No te lo tomes a mal, no estoy diciendo nada más, sólo es un día.

Parece un discurso fácil, ¿por qué no se atreve a pronunciarlo? Se lo sabe de memoria. Aunque no sabe qué cara hay que poner para decirlo, no sabe con qué gestos acompañarlo. Un discurso fácil que quizá no vaya a pronunciar nunca.

Mabel se levanta por las mañanas con el propósito de enfrentarse a este pequeño hecho del discurso, de realizarlo de una vez. No es para tanto, se dice frente al espejo del cuarto de baño, tengo cincuenta años, ya es hora de hacer lo que me dé la gana. Estas cosas, pedir un día libre. Esto es exactamente lo que quiero. No estoy hablando de dar la vuelta al mundo, no estoy pidiendo un imposible. Sólo de dejar la ropa tirada en el suelo, de llevarme el café a la cama, y sin bandeja, de cualquier manera, que caiga, si quiere, una gota de café sobre la sábana, que se me llene la cama de migas, sólo hablo de pasar la mañana como quiera, a lo mejor en bata, de comer cuando tenga hambre, de beberme, si quiero, una botella entera de vino, de estar a mis anchas, en el sofá, viendo la televisión, esos programas basura que, quién sabe por qué, nunca veo a solas porque me parecen una pérdida de tiempo y eso es precisamente lo que no quiero ni plantearme, que no me importe perder el tiempo, ver programas basura o no verlos, no hacer nada, ir de compras, si quiero, pasarme horas colgada al teléfono hablando con una amiga, no sé, ahora no se me ocurren más cosas, a lo mejor nunca se me ocurre nada más, sólo quiero estar sola durante todo un día, que no llegue la noche y no llegue Borja, agotado, y me pregunte qué hay de cena, no verlo ahí, echado en el sofá, exhausto, con todo el cansancio del mundo sobre su cuerpo, hundiéndole. Un día y una noche, nada más.

Sobre todo, la noche. Cuando la tarde se convierte en noche. Ese tránsito. Hacerlo con toda tranquilidad. A solas, como si nada, como si fuese un tránsito sencillo, sin agotamientos. ¿Qué más da que termine el día, que haya transcurrido un día más de nuestras vidas?, ¿qué más da que nos encontremos de nuevo mirando hacia la noche, otra noche más?, ¿qué importancia tiene todo esto, el discurrir del tiempo, la sucesión de momentos alegres, tristes, llenos, precipitados, vacíos? No hay ninguna obligación de poner buena cara a esas horas, pondré la cara que me salga, la que tenga, no hay ninguna obligación de intentar comentar algo, de sacar un tema de conversación, de intentar que Borja salga de su mutismo y su cansancio del sofá. Me meteré en la cama cuando quiera, a la hora que sea, da igual. A las once, a las doce, de madrugada, da igual. Quizá, antes de dormir, me pruebe ropa. Siempre se me ocurre probarme cosas a esas horas, pero nunca lo hago. Ropa del año pasado, de años pasados. Si Borja me pillara en ese trance no sé qué me diría, cómo me miraría. Sí, esto es lo que quiero hacer, exactamente esto.

Mabel se mira al espejo y se dice estas palabras. Habla para sí, habla con Borja. No sabe si será capaz de decírselo, no sabe si conseguirá al fin esta pequeña meta, tener un día libre, un día de asueto.

Pero una noche, mientras están los dos cenando en la cocina, siente dentro de sí una gran fuerza. Borja ha irrumpido en un torrente de quejas. Dice que sueña con la jubilación, que no ve la hora en que ese día llegue, ¡dejar de trabajar! Lleva toda la vida trabajando, desde que tenía dieciocho años, está llegando a un límite. ¿Para qué tanto esfuerzo?, ¿merece la pena vivir así?

Mabel no piensa en su discurso. No tiene que hacer ningún acopio de fuerzas para pronunciarlo. Habla, expone los hechos con toda calma. Esto es lo que pide, un día libre.

Inesperadamente, Borja asiente.

–Un día libre –dice–, ¿y qué quieres que haga yo esa noche?, ¿dónde voy a dormir?

–En un hotel.

De repente, la conversación se anima. Los dos están de acuerdo en que de ninguna manera Borja va a pasar la noche, una noche al mes, en casa de uno de sus hermanos, ¿qué pensarían? Además, ¡vaya aburrimiento! Meterse en la vida de otra familia, comer con ellos, ver la televisión con ellos, escuchar sus ronquidos por la noche, cruzarse con ellos por el pasillo. De ninguna manera.

Pero los hoteles tienen su gracia. Un día al mes en un hotel, ¿por qué no? ¿De qué categoría podría ser el hotel? Hacen cálculos. Hacen memoria. Echan mano de la guía telefónica. A Borja le ha desaparecido el cansancio. Piensa que tendrá que comprarse una de esas maletas pequeñas con ruedas. Piensa en su futura habitación de hotel. Se imagina tumbado sobre la cama, mirando la televisión, con el mando en la mano y un gin-tónic sobre la mesilla de noche. Otra vez soltero, disponible. Se escuchan risas de mujer en el pasillo. Le intrigan estas mujeres viajeras, independientes. ¡Qué poco conoce de la vida!

El plan de su mujer le parece perfecto. Una corriente de aire fresco. De momento, no se lo dirá a nadie.

Queda, así, establecido el acuerdo. Escogen un día cualquiera, un martes. Los primeros martes de mes.

Para Mabel, todo es como había pensado. Si acaso, algo mejor. ¿Cómo es que ha tardado tanto en obtener una cosa tan sencilla? Pero ya no es tiempo de lamentaciones sino de apurarlo y disfrutarlo. Ha sido estúpida, no cabe en cabeza humana haber tenido tanto miedo, a veces las cosas están al alcance de la mano y no las sabemos ver, pero ya está, ya se han visto.

La mayor parte de estos días de asueto, Mabel no hace nada de particular. No recoge la ropa del suelo.

No hace la cama. No limpia la casa. No cocina. Canta en la ducha. Husmea en la nevera y se hace un bocadillo cuando tiene hambre. Se echa en el sofá. Se va de compras. Va al gimnasio. Habla por teléfono. Bebe cerveza.

Alguna de estas tardes libres, queda con una amiga en una cafetería. Se cuentan cosas más o menos íntimas, se ríen. Cuando vuelve a casa, se siente bien. Es cuando se siente mejor. Recién llegada a casa después de haber pasado la tarde con una amiga. Es una sensación que hacía mucho tiempo no tenía, algo que roza la felicidad. Una vez que descubre esto, trata de preparar un poco su día libre. Casi siempre queda con una amiga. Lo cierto es que, cuando está con la amiga, Mabel se aburre un poco, aunque se ría, aunque parezca que la escucha, pero hay que pensar en el regreso a casa. Está bien tener amigas. Echada en el sofá, ya de noche, Mabel se siente muy satisfecha de tener tantas amigas, de volver a tener amigas.

Un día, la asalta una idea. Piensa en los hombres que ha conocido y con quienes pudo tener una aventura. Uno de ellos, su médico de cabecera, enloqueció. Eso le produjo una gran decepción. Al principio, creyó que se trataba de un simple gesto de rechazo. El médico huía de ella, no quería complicarse la vida. Inesperadamente, le dijo que ya no podía hacer nada por ella, que se buscara otro médico. Así de brusco, de tajante. Se quedó helada. Más tarde, se supo que era un caso de locura. Seguía siendo una decepción, pero ya tenía otro matiz, ya no le incumbía exclusivamente a ella.

Le gustaba mucho ese hombre. Llegó a pensar que se había enamorado de él. No le llamaba «doctor». Le llamaba por su nombre, Máximo, como si se conocieran desde hace mucho tiempo. Se tuteaban. Máximo le pasaba el brazo por los hombros cuando terminaba la consulta y así, con el peso cálido del brazo de Máximo sobre su cuerpo, llegaban a la puerta.

–Cuídate mucho, Mabel. Llámame si tienes algún problema, no lo dudes, cualquier cosa.

Tenía una gran fe en él. Máximo entendía todo lo que le pasaba, sabía interpretar sus dolores y sus cansancios. Nunca tenía prisa. Hablaban de lo divino y de lo humano. Veía su imagen, pequeña, brillante, en sus ojos oceánicos. Sentía que estaba allí, acogida en el interior de las pupilas de Máximo. No era una paciente más. ¿Pensarían eso los demás pacientes? Máximo enloqueció. Los echó a todos de la consulta, ¿los amó a todos? Porque eso era lo que ella sentía, que Máximo la amaba.

Extraño episodio. Extraña vida.

Ha habido otro hombre. Augusto Riofrío. Con éste hubo algo más. ¿Cuándo? Fue al principio, nada más casarse. No llegaron a concertar esa cita de la que hablaron más de una vez. Se lanzaban miradas cargadas de deseo cuando creían que los demás no les miraban y se dieron besos fugaces por los pasillos vacíos de las casas y de los restaurantes. Ha seguido viendo, siempre en público, en medio de mucha gente, a este amigo. Aún parece propicio. No se trata de tener una aventura –¿quién quiere una aventura a esta edad?–, sino de ampliar el abanico de las tardes. ¿Por qué sólo amigas?, también pueden tenerse amigos. A los amigos se les cuenta otra clase de cosas, miran de otro modo, la risa tiene otro significado, algo menos inocente, ¿por qué no? Se trata de eso, de ampliar un poco el abanico de las tardes libres.

Ésta es la idea que se le ha metido en la cabeza. Va a llamar al viejo amigo. Quiere contar con la amistad de un hombre.

Pero resulta que el viejo amigo no tiene, por su parte, las tardes libres. O no las tiene o dice que no las tiene. Le propone a Mabel que coman juntos. La invita a comer a un buen restaurante.

–Ése es el placer que me queda –dice–, comer. Pero es un gran placer.

Las palabras del viejo amigo le producen a Mabel cierta inquietud, incluso cierto rubor. Mira el teléfono, ya mudo, y se pregunta si habrá sido una buena idea llamar a Augusto Riofrío. Añora, aunque aún no las haya perdido, aunque no vaya a perderlas nunca, las tardes con sus amigas y aquella sensación de felicidad al regresar a casa. Ahora todo eso parece amenazado. ¿Por qué el viejo amigo ha pronunciado esa palabra, placer?, ¿por qué ha hecho alusión, vaga, es cierto, pero muy potente, al pasado, a los placeres del pasado, a otros placeres que no eran la comida? Eso es lo que la incomoda, la vaharada de pasado –el rastro de ese deseo que les empujaba a besarse por los pasillos vacíos– que se ha colado a través del teléfono.

Sin embargo, llega el día, el primer martes de febrero, un día radiante –a pesar de las fechas, casi más primaveral que invernal– y Mabel, una vez que Borja desaparece, a primerísima hora de la mañana, con su pequeña maleta de ruedas a cuestas, para regresar al cabo de algo más de veinticuatro horas, se siente invadida por una oleada de felicidad. De juventud. Es por la cita, sin duda.

Tener una cita es algo muy divertido. Ese día hace la cama, limpia la casa, pone música, bailotea mientras va de un lado para otro con el trapo para quitar el polvo, mientras saca los platos, los vasos y los cubiertos del lavavajillas, mientras tiende la ropa. No puede parar. Está llena de energías. Finalmente, se ducha, se lava el pelo, se lo peina bien con ayuda del cepillo, abre el armario, se prueba una y otra cosa, desecha el conjunto de pantalón y chaqueta en el que había pensado y opta por un modelo más juvenil, pantalones vaqueros –sí, todavía usa vaqueros– y una camiseta negra, muy ajustada. Se siente muy segura así.

No le ha hablado a nadie de esta cita. A ninguna de sus amigas. Es un secreto. Quizá luego, cuando sepa cómo es el final. No tiene ni idea. No le importa. En este momento, se lo está pasando muy bien. No hay que pensar en el futuro, siempre en el futuro. No hay que pensar tanto. Para esto son los días libres, para recuperar un tiempo en el que no se pensaba tanto.

Coche propio, taxi o autobús, ésta es la única pregunta que se hace. ¿Por qué ha quedado en un restaurante que está tan lejos de su casa? Ahora recuerda que el viejo amigo le dijo que no se preocupara por el coche. El restaurante tiene aparcacoches. De acuerdo, irá en coche.

El caso es que, de repente, quién sabe por qué, Mabel siente una pequeña punzada en la punta del estómago. Los nervios. Una cita después de tanto tiempo, ¿merece la pena? Ésta es una pregunta que no hay que tener en cuenta, que hay que arrinconar como sea. Quizá no merezca la pena, efectivamente, pero ¿es tan importante?, sólo es una comida, un par de horas. Nadie lo sabe, es como si la cita no existiera.

Eso la tranquiliza. Nadie lo sabe. Menos mal que no se lo ha dicho a ninguna de sus amigas. La cita no existe. Podría quedarse en casa y sería lo mismo. Y es divertido, hay que reconocerlo. Todas estas emociones son divertidas. Son algo.

Ya en el coche, con las manos al volante, vuelve a sentirse bien. ¡Hace un día tan bueno! Ni siquiera lleva abrigo, sólo una cazadora de cuero. ¡Qué agradable es a veces la vida, qué dulce!

Normalmente, no le gusta conducir, pero hoy, en este momento, le gusta. Cincuenta años, se dice, sólo tengo cincuenta años. Cuando era pequeña, cincuenta años le parecían muchos, pero ahora, con el cuerpo enfundado en los pantalones vaqueros y la cazadora de cuero, ya no le parecen tantos. Se siente joven. La vida por delante.

Ya ha llegado a la calle del restaurante, está a un par de manzanas y, de pronto, ve un hueco entre los coches aparcados junto a la acera. Podría aparcar allí. No sabe por qué, pero prefiere dejar el coche aquí, a unos metros del restaurante. Prefiere andar un poco, prefiere ser ella quien aparque el coche, no depender del aparcacoches. Es una tontería, pero lo prefiere.

Disfruta del corto paseo. La calle está bordeada por árboles, ¿qué clase de árboles?, ni idea. De hoja perenne, desde luego, porque es invierno y están llenos de hojas. Son como arbustos grandes, algo parecido al alibustre, de hojas pequeñas y brillantes, a pesar de la contaminación. Quizá los hayan regado recientemente. Mabel ve su reflejo en las lunas de las puertas y los escaparates. Se gusta. Esta cita no existe, pero existe, y es estupendo tener una cita.

En cambio, el restaurante, que no conocía, la decepciona. Está abarrotado –las mesas están extraordinariamente juntas– y hay mucho ruido. Enseguida ve al viejo amigo, sentado frente a una pequeña barra, un poco apartada del comedor. Al parecer, lleva un rato esperando.

Mabel consulta su reloj, ¿a qué hora habían quedado?, ¿no habían quedado a las dos y media?

–No –dice Augusto Riofrío–, habíamos quedado a las dos.

–No puede ser –dice Mabel–, estoy segura de que habíamos quedado a las dos y media.

–No vamos a discutir por eso –dice Augusto Riofrío–. Después de tanto tiempo.

Mabel se extraña de que Augusto no le diga que está muy guapa. Antes siempre estaba diciendo esas cosas.

Piden un aperitivo mientras deciden qué comer. Mabel pide un vermuth, a pesar de que sabe perfectamente que el vermuth se le sube de golpe a la cabeza. Quizá quiera eso, tener la cabeza un poco en las nubes. En las nubes, sí, y no en este restaurante abarrotado donde todo el mundo grita. Además, la miran. Siente que la miran. ¿Por qué? Probablemente, porque, estando tan cerca unos de otros, todos se miran entre sí, ¿habrá alguien que la conozca, que se extrañe de verla ahí, en compañía de un hombre que no es su marido?, ¿alguien que luego, en cualquier momento, le comente a Borja que la ha visto en ese restaurante y que ella estaba con un amigo? Un comentario dicho en tono inocente, sin mala fe. Puede pasar.

Pero ya no importa demasiado. De la nube del vermuth se pasa a la nube del vino. Augusto ha pedido un buen vino. Ha estudiado la carta y lo ha pedido con solemnidad, como un gran entendido. A Mabel, la comida se le atasca un poco en la garganta, pero el vino fluye.

No, Augusto Riofrío no le gusta nada. Le parece pretencioso y, a decir verdad, hasta algo antipático, ¿qué se ha creído?, ¿que todo lo que le sucede a él es interesante? No para de hablar de sí mismo. No le hace a Mabel ninguna pregunta sobre su vida, como si nunca hubiera dejado de verla, como si la conociera perfectamente.

Mabel, que está un poco achispada, trata de meter baza, de hablar, de bromear un poco. Está empeñada en pasar un buen rato. Es su día libre. Así que bebe y se ríe de todo, y habla todo lo que puede. Todo lo que le deja el viejo amigo.

Augusto Riofrío echa una ojeada a su reloj. Dice que tiene que estar a las cinco en punto en su oficina. Es una reunión importante. Por eso, insiste, han quedado a las dos. Porque no tenía demasiado tiempo.

¿Qué importancia tiene eso ahora?, ¿qué más da a qué hora habían quedado, quién se equivocó? Lo más extraño de todo es que, sin previo aviso, la mano de Augusto se posa sobre la de Mabel y la retiene ahí, aplastada contra el mantel, ¿por qué?

Pero ya están en la calle, por fortuna.

–No, no ha dejado mi coche al aparcacoches. Lo he aparcado en un hueco que encontré aquí cerca.

Mabel señala vagamente hacia el fondo de la calle. Augusto Riofrío le pasa el brazo por los hombros.

–Te acompaño –dice.

No hace ninguna falta, piensa ella, pero no se aparta de él, no tiene fuerzas.

Ya están delante del coche. Augusto, inesperadamente, la abraza y la besa en la boca. Ella no se opone. Incluso sonríe, como si el beso le hubiera gustado, como si eso fuera lo que había esperado de él, ese beso, cuando le dice adiós con la mano desde dentro del coche.

Llega a su casa. No sabe cómo, pero llega a su casa. Está completamente borracha. ¿Cómo es que ha bebido tanto? A lo mejor, bebió muy deprisa. Y comió muy poco. ¿Cómo es que el restaurante tiene tanta fama? La comida estaba regular, nada del otro mundo. Mabel no es mala cocinera, sabe distinguir.

Siente el cuerpo completamente desmadejado, no tiene ningún control sobre él, todo le da vueltas. Se siente a morir. Va al cuarto de baño, se arrodilla frente a la taza del váter, se mete los dedos en la boca, hasta la garganta. Vomita. Sale todo, envuelto en vino y en vermuth, trozos de comida, lo poco que ha comido. Un olor agrio, espantoso. Pero ¡qué alivio sacar todo eso del cuerpo! Todo eso resultaba extraño, hostil, para su cuerpo. Fuera.

Se lava la cara, se echa chorros de colonia. Si tuviera fuerzas, se daría una ducha, pero todavía no se encuentra del todo bien. Mucho mejor, casi bien. Calienta agua para hacerse un té. Se sienta en el sofá y bebe una taza de té tras otra. Sin música, mientras la tarde va declinando.

Pero algo en su interior se rebela, ¡no va a pasarse la tarde en casa! El día libre no puede concluir así. Llama a una amiga. Afortunadamente, esta amiga, Blanca Campos, está aburrida y quiere salir de casa. Sí, le apetece tomar una copa. Queda con ella en una cafetería. No es que Mabel quiera contarle a Blanca lo que le ha pasado, no tiene ninguna necesidad de hablar de ello, pero necesita recuperar la tarde, que no se pierda el día.

Esto es lo que piensa mientras está de nuevo al volante del coche: que el día no se ha perdido, que todo está bien, todo ha vuelto a encajar. Se descompuso un poco, pero ha vuelto a encajar. La cita con Augusto Riofrío no ha sido una auténtica desilusión. Un simple desencuentro, sólo eso. Hay desencuentros en la vida. Había que probar.

No se ha cambiado de ropa. Sigue con los vaqueros y la cazadora, sigue sintiéndose segura de sí misma. Ni siquiera se ha pasado el peine por la cabeza. Pero sabe que está bien. A pesar de la borrachera y del vómito. Está más o menos bien. Presentable. Además, ¿qué importa?

Se sienta junto a Blanca, que está tomándose un whisky. Mabel pide un té. El alcohol le produce horror. Le dice a Blanca que a la hora de la comida, sin darse cuenta, se ha bebido la botella de vino entera. Le cayó fatal. Tuvo que vomitar.

–Esas cosas pasan –dice Blanca–. A mí me ha pasado más de una vez.

Blanca vive sola. Bueno, no sola. Tiene una perra. Habla mucho de ella, se refiere a ella como si se tratara de una persona. La perra se llama Tasia, todos sus amigos lo saben. Todos hablan de Tasia como si se tratara de una persona. La vida de Blanca está centrada en hacer feliz a Tasia. Blanca da largos paseos por el campo con Tasia. Esos paseos son luego comentados pormenorizadamente. Blanca siempre está descubriendo lugares donde poder pasear con Tasia. No es tan fácil. A Blanca le gusta que Tasia trote un poco, libre de las ataduras de la obligatoria y fastidiosa correa. Hay que llevar a los perros atados, ¡y no todos los perros son iguales! Tasia es buena como el pan. Blanca madruga para llevar a Tasia a la Casa de Campo con otros amos y perros madrugadores a quienes ya conoce un poco. Con algunos de ellos se para a hablar un rato. Hablan de perros, naturalmente. Con otros no. Otros son muy antipáticos. Y, si tienen oportunidad, son violentos. No merecen tener perros.

Blanca es una mujer separada. Dice que ése es uno de los riesgos de vivir sola, beber de más. Se hace de forma inconsciente. Lo mejor es no tener alcohol en casa. Si quieres una copa, te vas a un bar. Es mejor, concluye.

¿Por qué Mabel no le ha contado a Blanca la historia verdadera? Simplemente, porque no quería recordarla. Esa historia no existe. Nunca ha existido. La pequeña desilusión, el desencuentro, la mano de Augusto Riofrío sobre la suya, el beso. No ha existido.

Blanca es muy habladora. Siempre tiene muchas cosas que contar. Una vez que ha contado las últimas anécdotas de Tasia, habla de su familia, del padre que, viudo desde hace poco, quizá un año, ha quedado a su cuidado, aunque no viva con él, ¡menos mal!, de sus hermanas, de sus hermanos, de sus cuñadas y cuñados.

Ahora habla de Mar, su hermana pequeña. Está enferma, dice. No supera la muerte de su madre. No soporta ir a la casa donde fue feliz, donde siempre estaba su madre, esperándola. No soporta que su padre apenas hable ahora de su madre, como si esa larga etapa hubiera sido borrada. En cierto modo, Blanca comprende a su hermana pequeña, pero, a la vez, aunque sea una carga para ella, también entiende a su padre. Su madre ha ocupado siempre mucho espacio en la familia. Su padre pasaba mucho tiempo encerrado en su cuarto, dedicado a quién sabe qué. Quizá a estar solo. Desde esa soledad, la apoyaba, Blanca sentía que la apoyaba. Es verdad que ahora le exige mucho, pero no resulta tan difícil de manejar. Es egoísta y está lleno de manías, pero es su padre. A veces, Blanca le engaña. Le dice que tiene mucho trabajo, que no puede ir a verle. Hoy mismo, por ejemplo. Justo antes de salir para encontrarse con Mabel, ha sonado el teléfono. Era su padre, tal como había presentido. Esto es lo que le ha dicho, que había quedado con una compañera de trabajo a quien tenía que echar una mano en un asunto. El trabajo es su paraguas.

Blanca bebe muy despacio. La soledad le ha enseñado eso, que hay que beber muy despacio.

Mabel la escucha y se asombra de que Blanca nunca le pregunte nada, como si diera por sentado que en su vida no hay ningún problema. Pero sabe que en cierto modo es mejor así. Hoy, sobre todo, que no tiene ningún deseo de hablar, es mejor así. Porque la amistad no está hecha sólo de palabras, ni siquiera de comprensión. A veces, la amistad sólo es compañía.

Mabel vuelve a casa con la vieja sensación de los días libres. Hoy ha sido un día distinto, pero, a fin de cuentas, interesante. Lo que haya habido de desagradable ese día –vomitar, arrodillada sobre la taza del váter– ya no tiene mucho peso. Todo lo que lo precedió –el restaurante, la conversación, por no decir el monólogo, poco estimulante de Augusto, el beso junto al coche– ni siquiera es desagradable. Sólo es algo curioso. No se repetirá, no ha dejado huella. Pero no molesta.

Ya nada molesta. Ni siquiera eso, la borrachera. Nada molesta porque la vida, con los días libres, es considerablemente mejor. Pasan cosas. Mabel se siente libre. Es sólo un día al mes, pero saca muchas fuerzas de ese día. Las necesarias.

Cuando Borja regresa a casa, el miércoles al mediodía, Mabel casi lo recibe con entusiasmo. No en vano ha convivido con él cerca de treinta años. No se ha cansado de él. Le quiere.

Ese mediodía, el mediodía de los miércoles primeros de mes, Mabel suele hablar mucho. No cuenta lo que ha hecho ni habla de las personas a las que ha visto, pero se siente comunicativa. Su corazón emite ondas expansivas.

Borja la mira con remota curiosidad. Quisiera saber lo que ha hecho su mujer, por qué parece tan feliz. Pero tiene otras cosas en la cabeza. Mabel da datos muy vagos de su día. Borja acaba pensando en sus cosas.

Él sí que es verdaderamente feliz ahora. Está viviendo una aventura. Se siente rejuvenecido, lleno de vida.

Los primeros días en el hotel, los primeros meses, no fueron como había imaginado. Ponía la televisión, se servía un gin-tónic y se echaba sobre la cama. Como había imaginado. Hasta allí, sí. Pero, luego, todo cambiaba. La buena sensación no duraba. Una vez, aguantó. Se quedó en el cuarto, encargó comida y se metió en la cama enseguida. Otra vez, el cuarto se le cayó encima y se fue a cenar a un restaurante. Otra vez, ese plan le pareció un poco triste. Fue al bar del hotel. Se tomó su segundo gin-tónic. Imaginó que una mujer muy atractiva entraba en el bar y se sentaba a su lado. Le miraba, hablaban. Salían a cenar juntos. Y luego... Sí, volvían juntos al hotel, o quizá tomaban otra copa en un bar, pero, al fin, volvían. La mujer se alojaba en el hotel, estaba de paso, como él. Viajeros los dos, libres los dos.

Ya iba siempre al bar del hotel. Esperaba a esa mujer.

Sin embargo, no era una de las solitarias mujeres viajeras.

La mujer trabajaba en el hotel. A veces, estaba en recepción. Otras, se la cruzaba por el pasillo, salida de las entrañas del hotel, con su traje de chaqueta azul marino, el pelo recogido. Una chica muy pulcra. Sonriente. Raya oscura alrededor de los ojos. Labios rojos. Olor intenso a perfume. Intenso y ligero. Pulcro.

Se sentó a su lado en la barra.

–Otra vez por aquí –dijo–. ¿De dónde es?

–En realidad, soy de Madrid.

La recepcionista asintió.

–Cosas de la vida. ¿Le gusta venir a su ciudad?

–Me encanta.

A toda velocidad, Borja se inventó un trabajo, un lugar donde vivir. Una familia, no. Se tutearon.

–Te invito a una copa.

–Tengo la noche libre. Si me esperas un momento, voy a cambiarme.

Luego, mientras cenaban, Elena, la recepcionista, le confesó que se había fijado en él hacía meses y que se había hecho el propósito de conocerle un poco más.

–Vengo a Madrid una vez al mes, como ya has comprobado –dijo Borja al final de la cena–. Nada me gustaría más que poder salir contigo, porque tengo las noches libres, eso también lo sabes. ¿No podrías hacer coincidir tus días libres con mis viajes a Madrid?

Elena ya había pensado en eso. Tenía fácil arreglo. Claro que tenía que saberlo con unos días de antelación. Borja echó mano de su agenda.

–Volveré el cuatro de diciembre –dijo–. Voy a dejar ya la habitación reservada.

Eso fue lo que fueron haciendo de mes en mes.

Ya no volvieron a verse en el bar del hotel. Ni siquiera volvían al hotel a pasar la noche. Se citaban en otro bar, cenaban, tomaban otra copa, iban a casa de Elena. No quería tener problemas con el director del hotel. Sí, ésta era una de las normas, no enredarse con los huéspedes. El primer día se arriesgó un poco, pero no pasaba nada, el barman era muy amigo.

Borja regresaba al hotel por la mañana, recogía sus cosas, pagaba la cuenta, iba a la oficina, volvía a su casa al mediodía.

Elena le dijo:

–¿No es una tontería que te gastes el dinero para pagar una noche de hotel cuando no pasas la noche en el hotel, sino en mi casa? La próxima vez puedes venir a mi casa directamente. Es mi día libre, ya sabes. Te estaré esperando.

Borja no se atrevió a negarse. A fin de cuentas, era una buena idea. Mabel no sabía en qué hotel se alojaba. Ése era el acuerdo. En eso, él había sido listo. Si le necesitaba para algo, le llamaría al teléfono móvil. Ventajas de los adelantos técnicos. Sin embargo la idea le asustaba un poco. La habitación del hotel era su ancla, lo que tenía en Madrid esa noche, la noche que pasaba fuera de casa. Le asustaba perderla.

Apareció en casa de Elena con un regalo. Un perfume. Se había ahorrado la noche de hotel. Fueron a cenar a un restaurante más caro. Bien, las cosas eran mejor así. Y el piso de Elena, aunque pequeño, era agradable.

No echaba de menos el hotel. Elena le recibía con una copa preparada. A veces, incluso cenaban en la casa. Borja siempre le llevaba un regalo, un bolso, un pañuelo, una cartera.

Una vez al mes. Era un buen plan. No llegaría a cansarse.

Se lo comentó a sus amigos. No les habló de la chica. Sólo que su mujer y él habían decidido darse mutuamente un día libre al mes. Les dijo que eso le había cambiado la vida. Los amigos le miraron con envidia.

–Bueno, ¿y qué es lo que haces esa noche?, ¿te vas de farra?

–Suelo quedarme en el hotel. Me encanta la vida de hotel.

–¿A qué hotel vas?

–Cada vez voy a uno distinto. Estoy conociendo los hoteles de Madrid –dijo, animado–. Hagan juego, señores –concluyó, frotándose las manos.

¿Por qué dijo eso? Quizá para sugerir el nuevo juego de su vida, la aventura que estaba viviendo.

Ya no dijo nada más. En realidad, habría sido mejor no decir nada.

La aventura duró nueve meses. Exceptuando el mes de agosto, en el que no hubo día libre. Resultaba un poco absurdo tener un día libre en plenas vacaciones de verano.

Borja fue feliz durante aquellos meses. Mabel no llegó a sospechar nada. Ella también era feliz.

Es el primer martes de octubre. Un atardecer cálido, dorado. Borja se encamina hacia la casa de Elena. Lleva en el maletero del coche su pequeña maleta de ruedas con la muda, el pijama y la bolsa de aseo. Ha comprado una cajita de cristal de bohemia –o eso le han dicho– con adornos de plata. No sabe para qué sirve, pero es bonita. Un objeto decorativo. Quizá, para guardar joyas. Ella ya sabrá qué utilidad darle. Borja tararea una canción. Irreconocible. Se ríe de sí mismo, de su ineptitud para el canto. No se puede tenerlo todo.

Elena no abre la puerta inmediatamente. No le ha preparado la copa. No se ha arreglado. Pero no está enferma, sólo un poco cansada, dice. ¿Dónde van a cenar? No, no tiene ganas de salir. Tampoco tiene ganas de preparar nada para cenar. Ha abierto el envoltorio, un poco por hacer algo, sin el menor entusiasmo, y está mirando la cajita de cristal como si no supiera qué es, qué hacer con ella. Borja sabe que ha metido la pata. Con la cajita de cristal, con todo.

Todo ha cambiado radicalmente. Todo se le escapa de las manos. Piensa en su mujer, la culpable de lo que está pasando. Un día libre. Fue una mala idea. Un día libre en un hotel de Madrid jugando a ser un representante comercial, un viajante. Mintiendo sobre su vida.

Elena ha dejado de mirar la cajita de cristal. Ahora tiene los ojos fijos en la pantalla del televisor.

–¿Qué es lo que he hecho mal?, ¿no me vas a decir nada?

–Eres tú el que nunca dice nada. Ya me he cansado. Esta tarde he tomado una decisión. Puedes quedarte a domir si quieres, no te voy a echar, pero es la última vez. Se acabó.

–Pero el otro día, no sé, parecías muy contenta, ¿qué ha pasado?

–Estoy cansada, ya te lo he dicho. No tengo por qué explicar nada, siempre ha sido así, ¿no? Sin explicaciones. Nos vemos en tus viajes, una vez al mes. Eso te da muy pocos derechos.

–Quizá todo cambie –dice Borja, titubeante–. Todo podría cambiar. Quizá pueda quedarme unos días. Podríamos hablarlo.

–Ya no hay nada que hablar. Es tarde. He tomado una decisión. ¡No voy a seguir hablando de esto! Si decides quedarte, por favor, no hables más de esto, ¡es lo único que te pido!

Un muro, eso es lo que es esta chica. Un verdadero muro. Lo mejor sería irse, buscar un hotel, abandonar. Pero no puede. El cuerpo le pesa. Se ha quedado inmóvil, paralizado, mirando la escena, mirando cómo Elena mira la televisión, mirando la cajita de cristal, completamente absurda, cada vez más absurda, que descansa sobre la mesa, ¿cómo se le pudo ocurrir comprar una cosa así? Se confió, se dejó llevar. Eso es lo que pasa cuando te confías. Compras una cosa absurda, tu amante de abandona.

Tu amante. Tu amante hasta ayer, hasta hace un rato, unos minutos. ¿Qué tienes ahora? No tienes nada. Ni amante, ni mujer. Esta noche no tienes nada.

Borja se queda a dormir en casa de Elena. Duerme en el sofá. Se va temprano, sin despedirse. Ni siquiera sabe si Elena está en casa. A lo mejor se ha ido antes de que él se despertara. Curiosamente, ha dormido de un tirón.

Se siente abatido, sin fuerzas. Pero no tiene que pensar demasiado, sólo tiene que ir a la oficina. Después, a casa. La verdad es que tiene ganas de ir a casa, de ponerse enfermo, una ligera gripe, y quedarse una semana en cama. Quiere desaparecer del mundo, esconderse. Los días libres no fueron una buena idea, pero ya se han acabado. Nadie puede pedirle que pase un día fuera de casa contra su voluntad. Ya no quiere saber nada de hoteles.

En la oficina, trata de no pensar en Elena. Está profundamente dolido. Por unos instantes, mientras la miraba y sabía que todo había terminado, había añorado la vida que nunca viviría con ella. Conocerla más. Amarla más. De repente, le vuelve a acometer esa nostalgia. Hubiera podido cambiar de vida. Quién sabe, quizá hasta de trabajo. Ahora se siente abocado a continuar el trazo de una vida gris y monótona. Nunca la había visto como la ve ahora, terriblemente gris y monótona.

Pero quiere llegar a casa, quiere encontrar en casa un refugio, algo que le diga que su vida no es tan gris ni tan monótona.

Encuentra a Mabel en la cocina. Lleva puesto un delantal, tiene la cara enrojecida. Hace calor en la cocina. Huele muy bien.

–¿Puedes poner la mesa? –pide Mabel.

Borja pone la mesa. Sabe que no le va a decir a Mabel nada sobre el final de los días libres. Aún no.

Por primera vez se pregunta qué es lo que hace su mujer en los días libres, ¿tendrá un amante? Sigue siendo atractiva, lo más seguro es que tenga un amante. ¿Cómo, si no, se le pudo ocurrir una idea así? Eso es lo que va a hacer el primer martes del mes que viene, espiar a Mabel. Quiere estar seguro de eso, de que se le ocurrió esa idea para reunirse con su amante. Un amante que sabe que ella es una mujer casada. Un amante que se conforma con eso, con un día al mes. No debe de ser de Madrid. Viene a Madrid una vez al mes. Está claro como el agua.

Llega el primer martes de noviembre, un día lluvioso. Borja sale de casa con su maletín de ruedas. Llama a la oficina desde el teléfono móvil. Dice que está enfermo. Aparca el coche en una calle adyacente desde la que puede ver el portal del edificio donde vive, incluso las ventanas del piso. Mabel no sale de casa en toda la mañana.

Pasado el mediodía, deja de llover. Mabel aparece en el portal. Lleva un chándal, zapatillas de deporte y el pelo recogido en la nuca. Sin maquillar. La sigue a una distancia prudencial. Mabel compra el periódico en el quiosco de la esquina, luego va al mercado y compra una rodaja de merluza. Anda despacio, a veces se detiene para mirar algo o como si quisiera pensar algo mejor. Entra en un bar y pide una caña. Habla con el camarero, se ríe. Hojea el periódico. Sale del bar con una sonrisa en los labios. Se adentra en el portal.

Vuelve a llover.

A las siete de la tarde, Mabel aparece de nuevo en el portal. Gabardina y paraguas. Zapatos planos. A pesar de la lluvia, recorre la calle. Se dirige hacia el centro. No coge un taxi, no coge el metro. Anda despacio, como si no le molestara la lluvia.

Entra en una cafetería, saluda a unas mujeres a

quienes Borja no conoce, o no reconoce. Se sientan alrededor de una mesa. Pasan dos horas.

Es de noche y ha dejado de llover. Mabel regresa a casa andando. Borja la sigue y piensa en su risa: ¡cómo se reía en la cafetería!, ¿de qué han estado hablando? De cualquier cosa, de tonterías, ¡cuánto hablan las mujeres!

Los hombros de Mabel se van encogiendo. Borja percibe algo. Vagamente. La risa ha quedado atrás. Ahora el cuerpo de Mabel, que avanza lentamente por la acera, los hombros cada vez más encogidos, como si tuviera frío, como si no supiera bien qué hacer, emite una sensación de abatimiento.

Borja piensa en Elena, la recepcionista. Ella también hablaba mucho, como las mujeres de la cafetería. Le contaba cosas, ya no recuerda qué. No la escuchaba demasiado cuando le daba por hablar sin parar. Hablaba de sus padres y de sus hermanos. Eran historias que a él no le interesaban nada. Pero le gustaría estar con ella ahora, a su lado, con una mano sobre sus hombros, haciendo como que escucha.

La mujer entra en el portal. El hombre llora.

8. MANCHESTER

–No sé qué me pasa con las mujeres –le dice un hombre a su vecino de asiento en el avión que se dirige hacia Manchester.

Están sentados codo con codo, comprimidos los dos en sus respectivos asientos. Es un avión tan pequeño –y, al parecer, aún hay otro más pequeño, éste tiene, aunque no lo crean, dijo la afazata, cuatro motores–, que los viajeros parecen obligados a la conversación, ¿cómo no van a entablar conversación si los cuerpos se tocan? Hablan para distraerse, para no pensar en eso, que sus cuerpos se tocan. Beben vino tinto y hablan, como no podía ser menos en esas condiciones, de cosas muy personales.

–Me llamo Augusto Riofrío –se presenta el hombre, en cuanto se extiende por el exiguo espacio del avión el intenso olor de la comida–. Me pregunto qué es lo que lleva a Manchester a toda esta gente.

–Daniel Extremera –dice el otro–. Me llaman Dani. El comercio, imagino. Si tengo que hablar por mí, el comercio.

–Es verdad, no se me había ocurrido –dice Augusto–, Manchester está lleno de tiendas, ¡y de discotecas!, eso me han dicho. Es que estoy bloqueado, mis neuronas no funcionan bien, pero es que me han sucedido cosas terribles. Vamos a tutearnos, ¿no?, ¡si te contara mi vida! Cada vez que pienso en lo que me ha pasado, no me lo creo. A lo mejor se trata de un sueño y me despierto de un momento a otro. Allí es donde me gustaría estar, en mi cama, tranquilamente. Y mi mujer, bien dormida, a mi lado. ¡Qué pesadilla!, ¿cómo has dicho que te llamabas!, Dani, sí, pues mira, Dani, yo no sé si estás casado o vives con una mujer o estás solo, no lo sé, pero créeme, no te fíes de ellas, Dani, te piensas que las conoces y no tienes ni idea, ni la más remota idea. Dime, ¿estás casado?

–De momento, no –dice Dani.

–Estupendo, sigue así. Es lo mejor, lo más seguro. Así estás a salvo de sorpresas. Te voy de decir lo que me pasó, por si te sirve de algo. Mi mujer era profesora de literatura. Yo, francamente, no abro un libro. Pero bueno, eso es normal. Me parecía bien que a ella le interesaran esas cosas, ¿por qué no? Estaba entretenida y la verdad es que no descuidaba la casa. Ni a los niños. Porque tenemos dos niños. Uno de cuatro y otro de dos. Mi mujer es muy guapa, la verdad –suspira–. Eso pensaba yo, desgraciado de mí, que era mi mujer. Me sentía orgulloso de ella, de que ella estuviera conmigo, porque yo, ya lo ves, soy un hombre completamente normal, tirando a feo incluso, lo sé. Pero normal. Ella se iba de viaje de vez en cuando, ya sabes, congresos. No te imaginas cuántos congresos hay en esos terrenos. Los profesores de literatura no paran de hablar, he conocido a muchos, son todos iguales, no quieren más que reunirse y soltar sus ponencias. Mi mujer siempre estaba preparando ponencias. Era un asunto sagrado para ella. Los congresos y las ponencias. Eso es el súmmum para todos ellos. El caso es, asómbrate, que hace dos meses se fue a Manchester a uno de esos congresos. Tú me dirás, un congreso de literatura hispánica en Manchester. Normal, como te digo. Bueno, yo estaba acostumbrado a esas cosas. El caso es que vuelve y la veo con una cara muy rara. Estará cansada, me digo, no me extraña, estos congresos deben de ser un aburrimiento, ella dice que no, pero la verdad se impone. ¡La verdad! ¡La verdad es que soy un pobre imbécil, un completo gilipollas!

»Pasan dos días, escucha bien, ¡dos días!, y una mañana me dice que se va, que me deja. Ya lo ha arreglado todo. Tiene abogado y todo lo demás, ¿y a que no sabes adónde se va?, ¡a Manchester! Resulta que en el congreso conoció a un hombre, un profesor de español, como ella, y está perdidamente enamorada, ¿te lo puedes creer? Pues créetelo. En esos dos días lo preparó todo minuciosamente. Me encontré con las manos completamente atadas, no te puedes imaginar a qué límites llegó su imaginación. Así que lo acepto todo, ¡qué remedio!, y más o menos al cabo de un mes me encuentro solo, sin mujer, sin hijos, sin casa. ¿Has oído una cosa así en tu vida?, dime, ¿es o no es increíble?

–Sí, parece increíble.

–Y aquí me tienes, volando hacia esa absurda ciudad, Manchester, para ver a mis hijos. Puedo venir a verles siempre que quiera y avise con cierta antelación. Llevo casi dos meses sin verles, no he podido encontrar un hueco para hacer este viaje y tampoco tenía ánimos, la verdad. –Augusto se queda callado, inmóvil.

Ya está, se dice Dani, la historia ha concluido, ¿qué más va a contarme?, ¿qué puedo decirle yo? Lo mejor es que no hablemos más. Se ha encogido en su asiento, para evitar, en la medida de lo posible, el contacto físico con su vecino. Porque el contacto físico, eso está claro, propicia la conversación.

Pero ya no hablan más. El resto del viaje –una hora larga– transcurre en silencio.

Augusto Riofrío, encogido también en su asiento, mira hacia un punto indefinido que, de hecho, está en su interior. Mira hacia dentro. Quizá la historia que me acaba de contar sea verdad, se dice Daniel Extremera, Dani. Estas cosas pasan, te las cuenta alguien en la barra de un bar, en un avión. Pasan porque pasa de todo en el mundo. Te asomas un poco a la puerta de tu casa y te encuentras con el rastro de estas historias.

Dani piensa en Irene, una chica que acaba de conocer, y se dice que ella no es así, como la mujer de su compañero de viaje. ¿De qué sirve hacer generalizaciones sobre las mujeres o sobre cualquier otro asunto? Irene es distinta. No ha conocido en su vida a una mujer más responsable. Quizá no sea tan guapa como la mujer de su compañero de viaje, quién sabe, a lo mejor esa mujer ni siquiera es guapa, pero qué más da, Irene le gusta mucho. Es una mujer que tiene algo, que sugiere algo. Vida interior. Es una mujer con muchas cosas dentro.

Siempre está haciendo cosas. Es una mujer muy activa. Está separada. Siempre está llevando y trayendo a sus hijos de aquí para allá. Acaba de montar una empresa, ya trabaja por su cuenta. La llaman de las revistas más importantes. Sí, es una triunfadora. Se ha convertido en la ilustradora gráfica de moda, pero ella no le da mucha importancia al éxito. No presume de nada.

Surge, de pronto, una pequeña inquietud, ¿qué tienen que ver los ilustradores gráficos con los profesores de literatura? No mezclemos las cosas, por favor, estamos hablando de cosas distintas. Irene no tiene nada que ver con la mujer de su vecino de asiento en el avión, este hombre que se calló de forma abrupta, después de contar su asombrosa historia, y que ahora parece, más que un hombre, un robot, alguien sin vida, un bulto con apariencia humana embutido en el asiento, pequeñísimo, de un avión.

Después de aterrizar, mientras se levantan de sus asientos y buscan sus equipajes en los compartimientos que hay sobre sus cabezas, Augusto Riofrío le tiende a Daniel Extremera su tarjeta.

–Puedes localizarme por el móvil. Si no tienes nada que hacer esta noche cuando termines de trabajar, llámame. Me han dicho que hay muchos sitios adonde ir. Manchester es la ciudad de las discotecas, no lo olvides. Son inmensas, espectaculares, eso dicen.

Dani guarda la tarjeta en el bolsillo. Se despiden, no se dan la mano. Se despiden como si supieran que van a volverse a ver enseguida, como si fueran compañeros de trabajo que hubieran volado juntos y que ahora, nada más llegar a Manchester, harán trámites por separado para volverse a encontrar unas horas más tarde.

Es la primera vez que Dani va a Manchester. Previsiblemente, tendrá que volver muchas veces. La firma comercial para la que trabaja, en el ramo textil, se propone abrir una sucursal en una de las calles peatonales del centro. Hay buenas impresiones. Una gran cadena española de moda ya ha abierto un local y se rumorea que la acogida ha sido más que favorable. También las firmas italianas y norteamericanas de moda están desembarcando. ¿Qué pasa en Manchester? Ahora lo veremos.

Lo primero de todo es desembarcar, él mismo, en el hotel. La agencia de viajes le ha hecho una reserva en el Palace Hotel, en Oxford Street. Suena bien.

Al llegar, Dani se siente gratamente impresionado. El vestíbulo es enorme, como sucede en todos los grandes hoteles. Sofás y grandes sillones creando ambientes aquí y allá, alfombras floreadas en el suelo, flores frescas sobre el mostrador de recepción. La chica que le atiende, una inglesa de piel muy blanca y acento muy cerrado, le da al fin la llave –una tarjeta de plástico con banda magnética– y empieza a darle abstrusas indicaciones sobre cómo llegar: un ascensor, dos pisos, un pasillo a la derecha, otro a la izquierda, otro ascensor, un pasillo, otra vez a la derecha... Por fortuna, aparece un botones y la recepcionista decide que el botones le acompañe a Dani a su habitación. Es demasiado complicado, comenta.

De camino hacia el ascensor, tras los pasos del botones, Dani se dice que este edificio tan complicado debió de ser otra cosa antes de hotel. Efectivamente, lo lee en un documento enmarcado y colgado de una de las paredes del ascensor, fue una casa de seguros, Refuge Assurance. ¿Cuánto hace que es un hotel? El mozo no lo sabe.

Hacen el largo y complicado recorrido. El decorado cambia. Un pasillo aboca en otro, éste es de azulejos, ¿será otro edificio? La alfombra es, también, distinta. De hecho, cambia más de una vez. Todas son de estampado de flores, pero distintas, como indicando que los pasillos que tapizan atraviesan zonas que en el pasado no estaban comunicadas entre sí. Dani se pregunta si será capaz de encontrar el camino de vuelta y luego el de venida. Bueno, hay muchas indicaciones, sólo hay que seguirlas.

Lo peor no es eso, lo peor es la habitación. Es abuhardillada y tiene tres ventanucos en lo alto a través de los cuales se vislumbra el torreón de un edificio y el cielo nublado del atardecer en Manchester. Dani es un poco claustrofóbico. La habitación la paga la empresa. Quizá sea siempre así, quizá la empresa busque ofertas de habitaciones baratas en hoteles de lujo. Es la primera vez que Dani sale al extranjero por cuenta de la empresa.

El minibar, vacío.

Dani hace las llamadas pertinentes y, como tiene tiempo –en Manchester es una hora menos que en

Madrid–, decide ponerse ropa de deporte y correr durante media hora. Eso le dejará como nuevo. Dani no puede vivir sin correr, pero se puede correr en casi cualquier parte, de manera que sus problemas no son irresolubles. Dani es optimista.

En recepción, se hace con un plano de la ciudad, sale a la calle, y se pone a trotar. La temperatura es buena. El cielo está nublado, como se veía por los ventanucos de su buhardilla, pero no llueve. Correr por las calles de una ciudad desconocida es la manera de hacerse con ella, de pertenecer, de golpe, a ella. Al cabo de un rato, Dani se siente feliz. Su cuerpo está en forma. De regreso al hotel, se compra una botella de agua. Se da una larga ducha, tararea. Todo en orden.

La cita es en el bar del hotel, un inmenso espacio, con las paredes de azulejos de colores vivos y profusamente decorado con palmeras de interior, donde también está el restaurante. La habitación es agobiante, pero el hotel le gusta. Tiene sabor colonial. Dani no ha estado en la India, pero se imagina que los viejos hoteles de la India deben de ser parecidos a éste. Azulejos, alfombras floreadas, tiestos con plantas, mucho servicio. La mayor parte del servicio del hotel está compuesta por indios, además.

El representante comercial con quien ha quedado citado es un hombre que habla muy deprisa. Extiende sobre la mesa los planos de la futura tienda. En un momento llena toda la mesa de papeles. Planos, listas, números, cuadros con curvas que suben y bajan.

–Las calles peatonales, no lo olvides, ésas son las

que cuentan. Market, el pasaje de Saint Ann, King, Brazennose... Mira bien el plano.

Dani sigue como puede el movimiento nervioso del dedo del representante deslizándose por el plano de Manchester.

–Bueno. Mañana lo veremos todo. Yo te dejo esto aquí para que lo estudies. Desgraciadamente, no me puedo quedar a explicártelo. Me ha surgido un problema familiar. Se trata de mi suegra. Ha venido a visitarnos y, fíjate qué mala suerte, se ha caído por las escaleras y se ha torcido el tobillo. La hemos tenido que llevar al hospital. Ahora tengo que ir a recoger a mi mujer.

Así que el hombre se levanta y se va, dejando tras de sí todos esos papeles.

Dani se termina tranquilamente su whisky. Cenar solo no es ningún drama. El mismo restaurante del hotel parece bastante animado. Y, mientras corría por las calles de Manchester, ha vislumbrado varios restaurantes.

Recoge los papeles, los guarda en su flamante cartera de piel, y emprende el camino hacia su cuarto. Ya se está haciendo a este laberinto. Ascensor, derecha, izquierda, ascensor, derecha, izquierda, derecha, ¡a cualquiera que se le diga!

Ya no se ve el cielo a través de los ventanucos. No se ve nada. La habitación es una cueva.

¿Qué es lo que está pasando?, ¿qué hace Dani detenido en medio del cuarto?, ¿en qué piensa, si es que piensa en algo?

No se sabe cómo, el nombre de Augusto Riofrío

le ha venido a la cabeza, ¿será verdad todo lo que ese hombre le ha contado en el avión? Hay gente que necesita mentir, inventarse historias. Hay gente que habla por hablar. Aunque lo cierto es que ese hombre habló mucho, como un torrente, y luego calló. Eso es raro.

Y, sin embargo, no le cae mal ese hombre. Quizá la culpa la tenga esta habitación tan triste. ¡Un optimista!, vaya, ¿es Dani un verdadero optimista?, ¡ya quisiera serlo! Nadie sabe cómo es de verdad Dani. Se puede venir abajo de un momento a otro. Por la cosa más inesperada, por algo que a primera vista puede parecer muy simple. Ahora ni siquiera sabe por qué se ha venido abajo.

Esa chica, Irene, la chica tan estupenda a quien acaba de conocer, no sabe nada de esto. No lo imagina. Dani es sumamente frágil.

Cuando uno se resbala y se cae hace cosas absurdas, lo que sea, para volverse a poner en pie. Dani llama al hombre del avión.

Poco después, están los dos, Dani y el hombre del avión, sentados a la mesa de un restaurante italiano, en medio de un ruido fenomenal. La mayor parte de las personas que les rodean son muy jóvenes.

–¿Te has fijado en cómo van las chicas? –dice Augusto–. Casi desnudas, como si fuera verano. ¡Menudos escotes! Tan blancas como son y con esos escotes, estas chicas me recuerdan a las fotografías que les sacaban a las niñas de la familia, a mis hermanas y a mis primas. Ya sabes, retratos artísticos. Las niñas aparecen envueltas en gasas y con los hombros desnudos, ¡qué disparate!, pero a mi madre le encantan esos retratos. Florencio Campos, ése era el fotógrafo, me acuerdo perfectamente de su nombre. Bueno, era la moda. En fin, no entiendo cómo estas chicas no pasan frío. ¿Y los tacones?, ¿te has fijado en los tacones? En mi vida he visto una cosa igual. Debe de ser incomodísimo.

–Me he fijado, sí. Me ha llamado mucho la atención. Pero la verdad es que están muy guapas.

–Pero se enfriarán, se caerán de los tacones –insiste Augusto.

–¿Y tus hijos?, ¿has visto a tus hijos?, ¿cómo están?

–Oye, no quiero hablar de eso. Mi situación es horrible, demasiado horrible. Lo que quiero, precisamente, es olvidarla. Sí, he visto a mis hijos. Los he visto con mis propios ojos. He estado con ellos. Pero he visto otras cosas, cosas que habría sido mejor no haber visto nunca. ¡Dios, no debería haber venido tan pronto! No estoy preparado. No sé si voy a estar preparado alguna vez. Todo esto es demasiado para mí.

Augusto pierde la mirada en el mantel, ¿y si se queda callado, como en el avión, callado ahora para el resto de la cena?

–La vida cambia constantemente –dice Daniel–. Hay que dejarse envolver por ella.

Es una frase que ha escuchado en alguna parte, no sabe a quién. Cuando la escuchó, no la entendió. ¿Qué quería decir exactamente?, ¿que hay que disfrutar de todo, de los detalles más pequeños e intrascendentes?, ¿que hay que abandonarse a las pasiones, sean las que sean? Ha acudido a sus labios porque necesitaba decir algo, unas palabras que empujaran a Augusto a seguir hablando. Una cena en silencio es insoportable.

–Yo renuncio –dice Augusto–. Si tengo que hacer una declaración jurada, la hago. Renuncio a las mujeres. Nunca las he entendido. No se trata sólo de Rosa. No he conocido a una sola mujer de la que pueda decir con ésa sí, con ésa me entendí. Poco antes de lo de Rosa, me llamó una mujer, ya sabes, una de esas mujeres que siempre te han gustado y con quienes, vete a saber por qué, nunca se ha tenido una oportunidad. Me llama porque sí, dice que tiene ganas de verme. Estupendo. Quedamos para comer. Todo va como la seda. Nos bebemos una botella de vino, nos reímos, le cojo de la mano, la beso, en fin, que fenomenal. Dejo pasar un par de días, la llamo y ¿qué me dice? Bueno, primero fue la voz, una voz rarísima, muy distante. Malo. No pensé que fueras a llamarme después de lo que pasó, dice. Me quedo de piedra. ¿Qué pasó? ¿Cómo que qué pasó? Las cosas no funcionaron, es evidente. ¿Que no funcionaron? No sabía de qué me estaba hablando. Nunca lo sé, no sé de qué hablan ni qué es lo que tienen en la cabeza. Ya te lo he dicho, renuncio –concluye, abatido.

De pronto, se anima.

–Mira –dice–, tengo un amigo que sigue una táctica. No te puedes imaginar el éxito que tiene. Mi amigo Ramiro Hornos siempre les está dando largas. Esto es lo que hace: dice que las va a llamar, que las va a llevar a este sitio y al otro, a cenar, al cine, hasta de viaje. Parece dispuesto a todo, pero luego nunca hace nada.

Lo increíble es que a ellas no les importa. ¡No sabes cómo hablan de él! ¡Ramiro es un cielo, es un sol! ¡Dicen esas memeces! El caso es que las tiene siempre por allí, pululando. Y él: hoy no, me ha surgido no sé qué, ya te llamaré. ¡Nunca llama!, créeme. ¡Un cielo!, vamos, yo es que no lo entiendo. ¿Es así como quieren que las traten?, ¡a las mujeres no les gusta que andes tras ellas! Así que yo ahora tendría que tener mucho éxito, porque ya no me interesan nada, ¡que les den!

Otra vez su mirada se queda perdida.

–¿Dónde te alojas? –pregunta Dani.

–El Brittania, un hotel absurdo. Decadente total. Al lado de Piccadilly, en Portland –dice, como si Dani fuera de allí o supiera que ha estudiado atentamente el plano de Manchester–. ¿Te puedes creer que mi habitación no tiene ventana? Entro, enciendo la luz, veo la cortina, dejo la maleta encima de la cama y voy a correr la cortina. Eso es lo que se hace normalmente, ¿no? Uno quiere ver la calle, el patio, lo que sea, quiere saber dónde está. Cuál es mi sorpresa cuando veo que detrás de la cortina sólo está la pared. Eso sí, con una ventana pintada. Y con mucho detalle. Macetas con flores, cortinas, visillos, todo eso. Naturalmente, llamé a recepción, pero no tenían otra habitación libre, lo sentían muchísimo. Pero no lo sentían nada, el recepcionista tenía un tono irónico, como si me estuviera diciendo, ha caído en la trampa y ya no tiene remedio, en esta trampa sólo caen los imbéciles como usted, las habitaciones sin ventanas las reservamos para los imbéciles. La verdad es que me han captado al vuelo los muy cabritos.

–Mi habitación es abuhardillada –dice Dani–. Yo sólo veo una especie de torreón y el cielo.

–Esta gente es muy rara. No sé qué habrá visto Rosa en ellos. Todo se está cayendo a pedazos, todo se está deshaciendo. Aquí y en todas partes. Las cosas no pueden seguir así. No por mucho tiempo. El mundo va a cambiar, te lo digo. Hemos de ver cosas tremendas. Muchas de las cosas que ahora parecen normales serán luego rarísimas. Todo va a dar la vuelta, como en esa película, ¿te acuerdas?, *El planeta de los simios.*

Así va transcurriendo la cena. Rodeados de ruido de platos y cubiertos, de voces excitadas y chillonas, de breves observaciones de Dani, de parrafadas de Augusto.

Manchester. Tendría que volver, acabaría por conocer un poco más esta ciudad. Quizá alguna vez vinieran los dos, Irene, la chica a quien acaba de conocer, y él. Le enseñaría todo lo que había ido conociendo en los otros viajes. Puede, incluso, que cenaran o almorzaran en este restaurante, que no estaba tan mal, a pesar de los ruidos, y luego se irían a bailar a una discoteca, a una de las inmensas y famosas discotecas de Manchester.

Pero ¡qué lejos está esa chica!, ¡qué lejos todos sus planes!

¿Es esto lo que le contaré a mi vuelta?, se pregunta Dani, ¿le hablaré de esta cena con este hombre absurdo?

La sensación de que este rato no existe en realidad sino que se ha quedado al margen de todo, deshilvanado, le proporciona un profundo sentimiento de liberación. Repentinamente, se siente cómodo. Incluso alegre. Alegre otra vez.

Es un optimista, de acuerdo.

9. DESCONEXIÓN

En los vestuarios del polideportivo, mientras se va desprendiendo de la ropa que lleva y se pone el traje de baño, Irene echa de menos a Dani. Le gustaría que estuviera aquí, que fuera a la piscina con ella.

Sentada sobre el banco de madera, una chica habla por su teléfono móvil, ¿con quién? Habla en susurros, quizá esté hablando con su novio.

Los vestuarios están inundados de luz. Y de música. Irene tararea esta canción, cuya letra se sabía de memoria en el pasado. Hacía tiempo que no la escuchaba. Es una canción de su juventud. Del tiempo del amor. De los primeros amores.

Piensa en lo extraño que es que a Dani le guste correr en lugar de nadar. En lo extraño que es que un corredor de maratones y una nadadora vivan juntos. ¿Cómo será la convivencia que les espera cuando los pintores terminen de pintar la casa, cuando la casa esté perfectamente limpia y ordenada? Irene no ha querido, entretanto, instalarse en casa de Dani. ¿Dónde se habrían metido los niños? Dani comparte el piso con un amigo. A pesar de la incomodidad que supone vivir en la casa en obras, ha sido mejor así, se dice.

Para combatir la primera impresión de frío, Irene se pone a nadar a toda velocidad. Enseguida entra en calor y sigue un ritmo más suave. No quiere pensar ahora, ni en filosofías de la vida ni en novios ni en la casa ya pintada y ordenada. No quiere tener nada en la cabeza. Sólo quiere ir venciendo poco a poco la resistencia del cuerpo a moverse, a estirarse, a ser parte del agua. Quiere dejar de sentir el cuerpo, dejar de sentirlo todo. Estar en el agua sin ser ella. Estar en la vida sin ser ella.

De pronto, tiene un visión. Es algo francamente desagradable: Dani en brazos de otra mujer. Parece una escena de una película pornográfica, ¿cómo es que se le ha metido en la cabeza?, ¿por qué?, ¿a qué tiempo pertenece, al pasado, al presente o al futuro?, ¿qué demonios significa? Tiene que apartar esta imagen de sí, pero no puede. Es una imagen muy poderosa.

Sale de la piscina algo tambaleante. Quizá haya nadado demasiado. Ha nadado más deprisa que nunca, para borrar la imagen de Dani con esa mujer –una mujer desconocida, no se le ve la cara–, y las piernas no le responden. Va andando despacio hasta el coche, cegada por el sol, respirando profundamente el aire, dejando que llegue hasta el fondo de los pulmones.

–¡Irene! –grita una voz.

Irene se vuelve.

Es Mar. Hubo una temporada en que Irene y Mar coincidían a la hora de nadar. Le cuenta a Irene que ha estado enferma. Nada, una simple gripe. Ahora viene a la piscina a otras horas, por eso no se han encontrado. Viene a primera hora de la mañana, menos hoy, precisamente.

–Hace un día tan bueno –dice.

Las dos se quedan calladas, como valorando el buen tiempo a la vez, este día invernal en el que ya se presiente la primavera, incluso el verano. Miran hacia el bosque de encinas, esa hondonada que se extiende a sus pies y que llega hasta la falda de un monte sobre el que se perfilan, lejanos, los altos edificios de Madrid. Desde aquí, una ciudad como salida de una película, una ciudad llena de historias ajenas.

–Estoy en obras –dice Irene–. Tengo la casa llena de pintores, no se puede estar. No puedes imaginar qué lío. Pero es que Dani se viene a vivir conmigo. Bueno, no sé cómo saldrá. No le gustan los niños. Ni los perros. Y los niños acaban de traer un cachorro a casa. No sé dónde me estoy metiendo.

–Saldrá muy bien.

Irene y Mar se abrazan. Mar se va hacia el polideportivo. Irene entra en el coche y se aleja de allí.

Bebe el agua de la botella que se compró en la máquina del polideportivo. Siente el frescor bajando por el esófago, llenando el estómago. Se pregunta por qué no se ha quedado un rato hablando con Mar. Por qué no le ha contado la horrible visión que ha tenido mientras nadaba. Mar entiende de esas cosas. No la conoce mucho, sólo de hablar en el vestuario o al borde de la piscina, pero podría haberle contado eso. Era el tipo de conversación que solían tener, cosas profundas, cosas que les importaban mucho, cosas que quizá no habían contado a nadie más.

Cuando coincidían en el vestuario, se sentaban en el banco de madera y se vestían o se desvestían más despacio, se daban crema despacio, trataban de hacer durar ese rato. Mar hablaba como si supiera más de lo que saben los demás, como si viera cosas que a los demás normalmente se les escapan. Mar había perdido a su madre, no sabía si podría vivir con ese vacío, no se atrevía a decírselo a nadie. La muerte es parte de la vida, las madres mueren, murmuraba. Es la ley, tienes que aceptarla. Si te vienes abajo, te conviertes en una extraña, en una persona inconveniente.

Irene recuerda perfectamente la primera vez que le habló a Mar de Dani. Lo acababa de conocer. Había sido en una fiesta. Por aquella época, siempre estaba asistiendo a fiestas que le preparaban sus amigas casadas o emparejadas. Excusas para presentarle a hombres que le podían convenir.

–Siempre me equivoco –le dijo a Mar–. Eso me dicen mis amigas. Así que ahora han decidido que van a escoger a un hombre para mí.

Escogieron a Dani.

–Es tan guapo que da miedo –dijo–. Pero creo que nos hemos caído bien. No entiendo cómo no tiene novia.

–Tú tampoco tienes novio ahora –dijo Mar.

Sí, pero era distinto. Era una mujer separada con

dos niños pequeños. Una mujer como hay mil. Normal y corriente.

–Nada de eso –dijo Mar–. Tú tienes un don. Tienes talento para dibujar. Y has triunfado. No eres normal y corriente.

–¿Qué tal ese Dani, el guaperas? –le preguntó Mar días más tarde.

–No me lo puedo creer. Me llamó esa misma noche. Quedamos para cenar. Todo fue muy rápido. Nunca me había pasado nada así, algo tan fulminante.

–El clásico flechazo.

–Eso parece.

¿Cuándo había sido eso? Ni siquiera hacía un año. Ahora el guaperas estaba a punto de instalarse en su casa. Irene se había metido en todo el enojoso asunto de las obras por él, para que en la casa hubiera suficiente espacio para los dos. Había acondicionado el garaje y el ático. Una obra importante. Pero esa visión tan desagradable que había tenido mientras nadaba, ¿qué significaba?, ¿sería una especie de aviso, un presagio?

De pronto, a Irene le asalta una idea. Parar en el centro comercial epecializado en ropa de marca rebajada. Olvidarse de las obras, de Dani, de los niños, del cachorro que ha dejado encerrado en la cocina, de la nueva vida que van a emprender todos juntos cuando se terminen las obras. Y de la visión. Sobre todo, de la visión.

A esta hora, la de comer, las tiendas están vacías. No hay cola en los probadores. No se sabe muy bien a qué ciudad, a qué mundo, pertenece esto, qué hacen aquí los pocas personas que deambulan por el centro comercial. Ha sucedido algo y no se han enterado. Quizá lo sospechen, pero quieren disfrutar de la tregua. No hay aquí la menor referencia a la actualidad, a los desastres de la actualidad. En las tiendas suena una música envolvente y un poco sorda, una música que pertenece al espacio exterior, a un espacio que nadie sabe dónde está. Todos flotan aquí, de compras en una ciudad desierta, sin habitantes, sin viviendas, sólo tiendas llenas de cosas y vacías de gente.

Irene entra en la tienda en la que entra siempre. Pocas veces, en realidad. Siempre viene a estas horas. Es, siempre, la única posible compradora en esta tienda. La dependienta es la misma de la última vez. Se llama Susana. Es muy guapa, de raza negra. Atiende si se lo piden, pero no espía. Deja a la gente a su aire. Irene sabe que se llama Susana porque la cajera, una chica de tez muy pálida, la llama continuamente.

–Susana –dice–, no encuentro las facturas de Calvin Klein. Juraría que las he dejado en este cajón. Ya sabes, son esas de color verde.

–¿Verdes? –replica Susana–. Nada de eso, son azules.

Las dos revuelven entre los cajones del otro lado del mostrador. Parece que las encuentran, porque, mientras Irene está en otro rincón de la tienda, vuelve a oír la voz de la cajera.

–¡Susana! –grita–, ¿cuál es el precio de las chaquetas de Troussardi?, ¿las de ante rosa, las que acaban de entrar? No está marcado...

Así que Susana va y viene por la tienda casi vacía

y apenas mira a Irene. Tiene cosas que hacer, cosas que resolver. Cuando Irene ya se ha decidido y tiene un montón de ropa colgada del brazo para probarse, se le acerca.

–¿Puedo ayudarte? –pregunta.

Susana le indica a Irene dónde está el probador –aunque Irene ya lo sabe– y le dice que puede traerle otras tallas, si las necesita.

–¿Qué tal te quedan los pantalones? –pregunta al otro lado de la cortina.

Irene le pide otras tallas. Se prueba de todo, pantalones, faldas, blusas. Acierta, al fin, con la talla. Pero resulta que todo es muy soso, no se siente nada favorecida. Le da un pequeño ataque de calor. Se vuelve a poner su ropa.

–¿No era tu talla? –pregunta Susana.

–Sí, pero no acabo de verme –dice, casi susurra–. Es que tengo mucha prisa –añade.

Se da cuenta de que es una explicación absurda. ¿Es que antes, cuando entró en el probador con todo ese montón de ropa, no tenía prisa?

Pero Susana asiente, comprensiva.

–Déjalo, no te preocupes –dice, refiriéndose a la ropa que Irene se ha probado, en completo desorden.

Irene sale de la tienda casi corriendo. Ni siquiera quiere mirar el reloj. Es muy tarde. ¿Se habrán ido ya los pintores a comer?, ¿seguirá Ros dormido en el pequeño corral almohadillado que compraron ayer?, ¡qué tontería ha sido parar en el centro comercial!

Pero este hombre que la mira y se dirige hacia ella, ¿de qué lo conoce? No tiene más remedio que pararse porque está aquí, delante de ella, detenido, hablándole.

–¿Es que ya no te acuerdas de mí?, ¿tanto he cambiado?

–Eres Ramiro Hornos –dice Irene al fin, como si se tratara de un examen y en el último momento le hubiera venido la inspiración–. No has cambiado nada, es que voy con mucha prisa y no me fijo en nada.

–Ya veo, ¿vives cerca de aquí?

Intercambian datos sobre dónde viven.

–Vengo mucho a este centro comercial –dice Ramiro Hornos–. Nunca hay nadie, sobre todo a estas horas, y encuentras cosas muy interesantes.

Irene asiente con la cabeza.

–Tengo prisa –repite–. Mi casa está en obras, he dejado al cachorro encerrado en la cocina. Es de los niños. Lo trajeron hace un par de días.

–Podríamos quedar un día a comer.

Intercambian números de teléfono.

–No sabes cuánto me ha alegrado encontrarte. Te llamaré la semana que viene. El martes, si te parece bien.

Irene sabe que Ramiro Hornos la está mirando mientras abre la portezuela del coche. Sin duda, se estará preguntando si está bien de la cabeza. Tiene la impresión de que todo lo que ha dicho es absurdo.

Sale del enorme aparcamiento, deja atrás el centro comercial al que nunca volverá.

Se hace a sí misma esta promesa: no volver a este centro comercial, no probarse ropa que no necesita para nada, que en realidad no le gustaba en absoluto.

Aunque ha habido algo bueno. Se ha encontrado con Ramiro Hornos, compañero de carrera. Se llevaba bien con él, tomaban café juntos a media mañana. Algunas veces, unas cañas antes de comer. No llegaron a comer nunca juntos los dos solos. Quizá hubo alguna comida colectiva. No llegó a haber nada entre ellos. Naturalmente, estaban del mismo lado. Estudiantes progresistas. Progres. Ha madurado bien, tiene buena pinta, mejor, quizá, que en el pasado. Curioso encuentro. Ojalá Ramiro no tenga en cuenta las tonterías que ha dicho. Todo el mundo sabe que en estos encuentros rápidos se dicen cosas así, cosas que pretenden explicarlo todo de golpe, frases tajantes y exageradas en las que luego es mejor no pensar.

Vuelve a la carretera principal. Está pendiente de los carteles que indican la desviación que tiene que tomar para llegar a su casa. No hacen más que cambiar esta carretera. Ampliaciones y nuevas señalizaciones. El territorio conocido, repentinamente, se convierte en extraño. Un mundo en el que sería muy fácil extraviarse para siempre. No basta con haber salido a tiempo –quién sabe a tiempo de qué– del centro comercial, tiene que estar en casa cuanto antes. No es el momento de perderse. Puede ser un drama que ya no estén los pintores en casa. Puede que hayan dejado abierta la puerta de la cocina y que Ros, el cachorro, se haya salido del corral y se esté bebiendo los botes de pintura.

En la casa, todo sigue como estaba cuando se fue al polideportivo.

Ros no se ha movido, por lo que parece, de su corral.

No ha sucedido ninguna tragedia.

Y los pintores, por supuesto, siguen aquí. La radio está puesta a todo volumen. Por encima de la música, se oyen sus risas, ¿de qué se reirán tanto? Peor sería que estuvieran enfadados. Si estuviera sola, pondría música, su propia música, no la música que emana de la radio y que ahora ni siquiera pide, por favor, que la pongan un poco más baja. Quizá lo pida luego, por la tarde. También ella tiene que trabajar.

Tengo una profesión semejante a la suya, les podría decir, soy ilustradora gráfica, ya ven, yo también utilizo pinceles y botes de pintura. Y suelo trabajar con música, la que yo escojo. Si estuviera sola, me movería un poco al compás de la música, tararearía, hasta puede que me riera un poco a solas.

Algún día se irán, se dice, algún día se terminará todo esto. La casa quedará reluciente, la convivencia con Dani será perfecta. Cuando él se vaya a correr a sus maratones, ella se irá a nadar. Los domingos, convocarán comidas familiares, invitarán a sus amigos. ¿Qué comidas preparará? Tendrá que ampliar la gama de los menús, compuestos, sobre todo, de verdura. Porque se está volviendo vegetariana. Le gusta trocear la verdura mientras bebe cerveza al regreso de la piscina. Mientras se mueve al compás de la música y tararea un poco. Se olvidará de esta pequeña tortura, de estos meses de obras que están acabando con sus ánimos, que le generan desagradables visiones, malos presentimientos. Se olvidará y, si acaso lo recuerda, hasta se reirá de sí misma por lo agobiada que estaba, ¡no era para tanto!, todo el mundo sabe lo que son las obras, todo el mundo pasa por ellas, hay que tener más paciencia.

Suena el teléfono.

–Llevo llamándote toda la mañana –dice la voz irritada de Dani.

–Me he ido a nadar, ya sabes que no se puede estar en casa con los pintores.

–No te llevaste el móvil. Siempre te olvidas de llevarte el móvil.

–¿Qué pasa?

–Tengo un pinzamiento, no puedo moverme. Ni siquiera he podido ir a trabajar.

–¿Quieres que vaya a verte?

–Al fin, localicé a mi madre. Está aquí, preparándome la comida. Ya no hace falta que vengas. –La voz es ahora una voz despechada.

–¿Has llamado al médico?

–Oye, no me puedo mover. Ya sé lo que hay que hacer en estos casos. Después de comer me tomaré un pastillazo y, luego, a dormir todo lo que pueda. Te llamaré cuando me despierte.

Cuelga el teléfono, aún enfadado.

Irene vuelve a sus verduras, a su cerveza.

No queda ni rastro del bienestar que la invadía minutos antes. Es como si hubiera caído en un pozo. No sabe bien qué hay ahí. Una pequeña pero aguda decepción, quién sabe por qué. Quizá haya sido por el tono de la voz de Dani, antipático, acusador. No ha podido prestarle ayuda cuando lo necesitaba. Le ha fallado. Debería estar ahora a su lado, en lugar de su madre, a quien Irene ni siquiera conoce, a quien en realidad no quiere conocer, en lugar de estar aquí, encerrada en la cocina, prisionera en su propia casa, sin poder escuchar la música que le gusta, ¡ni siquiera eso!

Trata de consolarse pensando en la posible llamada telefónica de Ramiro Hornos, en esa cita que ha quedado tendida para comer el próximo martes, pero en realidad no sabe si quiere que Ramiro Hornos la llame, no sabe si quiere tener una aventura con él. Quizá la aventura tuvo que haber sucedido en su momento, mucho tiempo atrás, y ahora ya se hayan quedado, los dos juntos, fuera de lugar.

No lo sé, murmura. Su cabeza se mueve hacia los lados. No, las cosas no deberían ser así.

Después de comer, duerme un poco la siesta. Se encierra en su cuarto con Ros. Les ha pedido a los pintores que bajen un poco el volumen de la música.

Cuando se despierta, prepara café. Es la hora de ir a recoger a los niños al colegio. ¿Qué es lo que ha hecho hoy? Nada, un día casi perdido. No puede trabajar en estas condiciones. Quizá haga algo luego, cuando vuelva con los niños, cuando se vayan los pintores.

Todo sucede a la vez. Entra en casa con los niños en el mismo momento en que se van los pintores.

–Ya falta poco, señora –dice uno.

–¿Cree que terminarán mañana?

–¿Mañana?, eso es imposible, señora, faltan todos los zócalos, eso lleva mucho trabajo.

Los niños corren a la cocina a ver a Ros. Lo cogen, se lo disputan.

–Le vais a hacer daño –suspira Irene.

Prepara la merienda. Inspecciona la casa. Ya pueden instalarse en el cuarto de estar. Allí están los cuatro, ella, los niños y el cachorro, frente al televisor. Dani no ha vuelto a llamar. A Irene le da miedo llamarle. Si se ha tomado una pastilla y está dormido, lo mejor es no despertarle. Tampoco le apetece encontrarse con la voz de la desconocida madre de Dani al otro lado del hilo, si es que aún está allí.

Pero tiene que hacer algo. Está demasiado inquieta.

Toma una decisión, no tiene más remedio que tomarla. Va a ir a casa de Dani. No puede dejar a los niños solos, los niños no quieren dejar a Ros. Tendrán que ir todos.

–Esperad un momento –les dice a la puerta de la casa de Dani.

Sale del coche y entra en el portal. Sube las escaleras. Es una casa sin ascensor.

Pega la cabeza ladeada a la puerta. No se oye nada.

Irene se queda un rato allí, indecisa. Mira el timbre blanco. Pero no llama. Baja las escaleras, sube al coche y vuelven todos a casa.

Pasan dos meses, y Dani se traslada a vivir con Irene.

Irene nunca le dice que fue a verlo aquella tarde, pero que, finalmente, no se decidió a llamar a la puerta.

10. FORMENTERA

Si la gente supiera lo difícil que es desengancharse de algo, no se aficionaría a todo esto con tanta facilidad, al alcohol, a las drogas, al amor, a todo lo que puede llegar a convertirse en una obsesión, cosas muy diversas, unas grandes y otras pequeñas, unas más arriesgadas que otras, desde luego. Eso es lo que se dice Ramiro Hornos, que hace diez años que ha dejado el alcohol, mientras espera su turno ante el mostrador de una tienda de teléfonos móviles.

Aquí son todos adictos. Adictos al móvil, menos él. Ramiro ya no es adicto a nada. Ahora vive en otra galaxia, lo mira todo de lejos, desde ese punto en el que se ha ido situando y al que nadie puede acceder, un punto que ni siquiera él podría definir.

El hombre que está ahora negociando con la dependienta es extranjero. Norteamericano, quizá. Pronuncia las frases con mucha exageración. Dice cosas que resultan un poco grotescas. Se empeña en utilizar un lenguaje coloquial. Intercala «tío», «cachondo» y «cojonudo» con cualquier excusa. Pero ¿a qué negarlo?, es un hombre muy guapo. Lo cierto es que en ningún momento le mira a él, que espera su turno con toda la paciencia del mundo, como si no tuviera otra cosa que hacer en esta mañana de primavera. El extranjero está vacilando con la dependienta. Negarlo sería negar la evidencia.

Así que lo único que puede hacer Ramiro Hornos es mirarlo, sopesar su musculatura, elucubrar sobre la posible suavidad de su piel tostada por el sol.

La única satisfacción que le produce la escena es que la dependienta está, evidentemente, hasta el gorro de este hombre. Es guapo, pero insoportable. Entiende de teléfonos móviles mucho más que ella, sabe qué marca es buena para una cosa y cuál para otra. Sabe tantas cosas que marea. Porque lo dice todo. En su tono forzado y monótono, lo dice todo.

Al fin, el extranjero, provisto de un nuevo teléfono, se va, y ni siquiera le echa una leve ojeada a Ramiro. El hombre invisible, vaya.

La dependienta parece aliviada y le atiende con mucha amabilidad. Ramiro no entiende mucho de teléfonos móviles, pero ha decidido comprarse uno con máquina de fotos incorporada. Quiere cambiar, si es posible, el que tiene por ése.

Hechos todos los trámites, pagado lo que hay que pagar, Ramiro sale a la calle armado con su nuevo teléfono.

Hace una mañana radiante. Se sienta en la terraza de un bar y pide una Coca-Cola. De poder, se pasaría la mañana allí, en la terraza del bar, pero ya ha estado ausente de la oficina demasiado rato.

De regreso en la oficina, enseña a sus compañeros de trabajo su nueva adquisición y se asombra de lo mucho que todos saben sobre teléfonos móviles.

El entusiasmo de los demás enfría el suyo.

–Oye –le dice su compañero de despacho–, ¿no tenías un tío que entendía de joyas?

–Lo tengo.

–¿Podría hacerle una consulta? Se trata de unas joyas que ha heredado mi mujer. Nos gustaría saber el valor que tienen. Parecen buenas, pero no tenemos ni idea. Y tampoco se lo vamos a preguntar a cualquiera, pueden darte el cambiazo, eso nos han dicho. Hay que ir a un joyero de confianza, por eso me acordé de tu tío. Es de confianza, ¿no?

–Eso creo.

–¿Te importaría llamarle tú? Te lo agradecería mucho. No es lo mismo que yo le llame de tu parte a que le llames tú, no digo que entonces nos fuera a tratar peor, pero es mejor hacer las cosas así, por lo directo. Es más, lo perfecto sería que nos acompañaras a verle. Ya sé que es mucho pedir. La verdad es que me parece un poco de abuso pedírtelo, pero me lo ha dicho Dora, ya sabes que te tiene veneración, no imaginas cómo habla de ti, como para ponerse celoso. Bueno, no hace falta que nos acompañes, ya sé que es una lata, le diré a Dora que te resultaba imposible, tú llama a tu tío, con eso basta.

Ramiro se compromete a llamar a su tío. Trata de recordar cómo es la mujer de su compañero de despacho, ¿una rubia teñida que habla con gestos exagerados?, ¿una morena pálida y callada?, ¿una castaña de mirada inteligente? Ha habido dos acontecimientos sociales que ha reunido a los oficinistas, en compañía de sus mujeres, los casados, fuera de los despachos. Dos bodas. Quién sabe qué mujer corresponde a cada cuál. Las recuerda vagamente, aunque puede que hablara más con la rubia, ¿será ésa Dora, la mujer de Vicente?

El caso es que siente curiosidad por todo eso. Una curiosidad inexplicable a primera vista. Vicente nunca le ha interesado. A Dora ni siquiera es capaz de identificarla. Y, sin embargo, es así, lo sabe, siente curiosidad. No sólo no le cuesta nada llamar a su tío para obtener una cita, sino que está dispuesto a acompañar a Vicente y a Dora, sea ésta una mujer rubia, morena o castaña, a la joyería

Su tío. Quizá la clave esté aquí. Hace mucho que no le ve. Años. Es una persona rara. Es un joyero de toda la vida, enteramente consagrado a eso, a las joyas. Vive en una buhardilla del centro de Madrid, unos metros por encima del cuchitril que es la tienda. Ramiro recuerda haber ido muchas veces con su madre, cuando era pequeño, a la tienda de su tío. También se dedica a la compraventa, de manera que tenía joyas a muy buen precio y la madre de Ramiro siempre compraba los regalos allí. Cadenitas de oro y medallitas para recién nacidos y primeras comuniones, pulseras, zarcillos, todo menudo, eso recuerda Ramiro, cosas pequeñas por las que su madre sentía debilidad. Eran los regalos que le gustaba hacer. Consideraba que una cosa pequeña, al ser de oro, ya no era pequeña, se convertía en una especie de símbolo. Pero eso sólo valía para lo pequeño. Una gruesa cadena de oro no tenía para ella valor alguno.

Así era su madre. Siempre que piensa en ella, Ramiro se emociona. Dejó de beber por ella. Cuando murió, se pasó un año prácticamente borracho, pero luego dejó de beber. Tuvo un sueño en que la veía de lejos, corriendo por la falda de un monte. Era casi transparente y parecía muy contenta. Fue una imagen que le llenó de alegría. Había pensado que eso ya no volvería a pasar, sentir alegría.

A última hora de la mañana, Ramiro llama a su tío.

–Aún sigo vivo –dice el tío.

Es un hombre que siempre está de buen humor. Le llevaba a su hermana cinco años. Le ha sobrevivido. Con el talante que tiene, puede sobrevivir a cualquiera. Porque no sobrevive. Está en la vida con ganas, para disfrutar, para burlarse un poco de todo. Es soltero. Vive en la buhardilla, con dos perros enormes, ¿quién los sacará a pasear?

–¿Y los perros? –pregunta Ramiro.

–Vivos también –dice el tío.

Conciertan la cita para el día siguiente, porque, al otro, el tío se va de viaje y va a estar fuera durante todo el mes de junio.

Ramiro le dice a Vicente que sí, que les acompañará a la tienda de su tío. Quedan citados a las siete y media de la tarde en la misma tienda. Ramiro piensa llegar un poco antes.

¿Hacía cuántos años que no iba a la tienda de su tío?, se pregunta mientras se encamina hacia allí, después de haber dejado el coche en el aparcamiento de la Plaza Mayor. Naturalmente, había ido con su madre, que tenía que comprar uno de sus regalos de oro menudo. O quizá algo de plata. Sí, eso fue, unos saleros de cristal labrado con tapón de plata. Un regalo para una boda. Un regalo menudo y modesto, como si fuera de oro.

Pero el cuchitril está intacto, como su dueño. Los dos pequeños y arrugados, viejos, llenos de vitalidad.

–¿Adónde te vas? –le pregunta Ramiro a su tío.

–A Formentera –dice el tío Joaquín–. Voy siempre un mes, nunca en agosto, desde luego. Es el paraíso. Quizá acabe liquidando todo esto y yéndome a vivir allí, pero lo voy aplazando, chico, esto me tira mucho, es mi vida.

–¿Tienes amigos allí? –pregunta Ramiro, asombrado.

–Que si tengo amigos, qué cosas preguntas, ¿tú crees que iría a Formentera si no tuviera amigos allí? Todos son cocineros, chico. Es una isla increíble, se pasan el día cocinando. El que no ha puesto un restaurante se está preparando para ponerlo. Aquello ha estallado. Y cocinan de miedo. Son auténticos gourmets. Menos mal que yo no tengo ese problema, porque si no me pondría como una bola, pero nada, puedo comer todo lo que quiero, ¡menudos banquetes!, ¡y qué vinos! Yo siempre les llevo eso, una caja de buen vino que, por cierto, no dura ni dos días, ¡qué bien viven!

Ramiro piensa en la película *Caro diario* de Nani Moretti, en aquella crónica de las islas, en lo distintos que eran los habitantes de una isla de los habitantes de las otras. Cada isla tenía su personalidad. Se imagina las casas de Formentera, que no conoce, vistas desde arriba, sin tejados. Ve los fogones encendidos y a los cocineros revolviendo las ollas con cucharas de palo o cortando verduras con cuchillos bien afilados. Casas blancas al borde de acantilados donde el mar es de color turquesa, casas pequeñas perdidas en medio del campo, rodeadas de higueras. ¿Cómo es que nunca ha estado en Formentera?, ¿cómo es que un joyero de toda la vida, el más castizo de los joyeros de Madrid, va todos los años a Formentera a pasar un largo mes fuera de temporada, a comer exquisitas comidas hechas por los inumerables cocineros aficionados de la isla, a paladear excelentes caldos?, ¿cómo puede la vida ocultar durante años estas sorpresas?

Éste es su tío Joaquín, el hermano mayor de su madre, un hombre que debe de tener más de ochenta años y que se propone vivir muchos más. Un ejemplo.

Entran en la tienda Vicente y Dora. Resulta ser la mujer rubia. Ramiro hace las presentaciones y todos pasan a la trastienda.

–Saca las joyas –le dice Vicente a Dora.

Dora abre el bolso y saca un envoltorio, un pañuelo con muchos dobleces. Sobre la mesa hay un paño de color azul. Ahí quedan las joyas. Dos anillos, una pulsera, un colgante, un broche.

–También tengo unas perlas –dice Dora, tocándose el collar que lleva puesto.

–Quítatelas –dice Vicente.

Dora se desprende de las perlas.

El tío Joaquín aún no ha dicho nada.

–¿Son de valor? –pregunta, inquieto, Vicente.

–Las perlas, poco. Aquí lo único interesante es el rubí.

–¿El rubí? –pregunta, extrañada, Dora.

–Tiene profundidad. Me gusta.

–¿Qué puede valer? –pregunta Vicente.

–Eso depende de la prisa.

–¿Qué prisa?

–La que se tenga por venderlo.

Nadie entiende las palabras del joyero.

–Si no se tiene prisa, vale más. Hay que saber esperar, pero a veces no se puede esperar, ésa es la cosa.

–Siempre me había gustado mucho esta sortija –dice, complacida, Dora, mientras se encaja el rubí en el dedo.

Entra en escena un personaje nuevo. Un hombre venido, al parecer, de la calle, aunque la puerta estaba cerrada con llave.

–¿Has comprado la comida de los perros? –pregunta el tío Joaquín, sin levantar los ojos del tapete azul.

–Claro, y las galletas también.

–Vale, pues sube ya. Deben de estar hambrientos. Ayer comieron muy poco, los restos. Mira si tienen llenos los cuencos de agua. ¡Ah!, y les abres todas las puertas, todas, ¿eh?

–¿Qué te parece si luego les doy veinte duros para que se tomen unas cañas? –contesta el hombre con toda seriedad.

El tío Joaquín se ríe un poco entre dientes.

–Me parece bien –dice.

El hombre se va y la conversación sobre las joyas prosigue como si jamás hubiera sido interrumpida.

Dora envuelve de nuevo las joyas en el pañuelo y lo guarda en el bolso. Todos se levantan y se estrechan las manos.

–Que te lo pases bien en Formentera –dice Ramiro.

–Eso está hecho, sobrino –dice el tío Joaquín.

Aquí están los tres en la calle, Vicente, Dora y Ramiro. Hace una tarde casi veraniega. Vicente propone tomar algo en una de las terrazas de la Plaza Mayor. Pide una caña, Ramiro una Coca-Cola y Dora un gin-tónic.

–¡Qué tipo más interesante tu tío! –exclama Dora–. Conozco Formentera. Fui un verano, justo antes de casarme. Bueno, de casarnos –rectifica.

–No me lo habías dicho –dice Vicente.

Dora se encoge de hombros. De eso hace mucho tiempo. Aún no nos conocíamos. Además, ¿es que hay que contarlo todo? Eso está diciendo Dora sin decirlo. Vicente frunce el ceño.

–Fui con Malica –dice Dora.

–¿Malica?

–Malica Campos, la directora de cine. Éramos muy amigas. ¿No te acuerdas de ellas, de las Campos? Unas chicas muy guapas, tú siempre lo decías. Malica tenía muchos amigos en Formentera, un grupo divertidísimo, lo pasamos fenomenal.

–Dice mi tío que en Formentera todos se dedican a cocinar –recuerda Ramiro.

–¿A cocinar? No en mis tiempos –dice Dora–. En mis tiempos, ya sabes, mucho baile, mucho porro. Y nudismo, claro.

–¿Hiciste nudismo en Formentera? –pregunta, asombrado, Vicente–. No te imagino. –Se ríe con una leve sacudida.

–Hacer nudismo es muy fácil, no hay más que quitarse la ropa –replica Dora, y hace el gesto de quitarse el ligero jersey que cubre su cuerpo–. Bueno –suspira, cambiando el tono. Ahora se pone nostálgica–, no me importaría volver.

Entonces Ramiro se acuerda de su nuevo teléfono móvil.

–Estáis muy guapos –dice a la pareja, y les enseña la pequeña pantalla de su teléfono.

–¡Qué teléfono más chulo! –dice Dora.

Se dirige hacia ellos, desde el medio de la plaza, un hombre alto que arrastra una correa atada a un perro muy pequeño. Su cara está iluminada con una sonrisa. Va sorteando las mesas de la terraza hasta llegar a la mesa que ocupan Vicente, Dora y Ramiro.

–Hola, Ramiro, ¿qué haces por aquí? –dice, y mira a los otros–. ¿Me presentas?, ¿me invitáis a sentarme con vosotros? Soy Luis Ramírez.

Dora le tiende la mano.

–Pues claro –dice–. Yo soy Dora y éste es Vicente. Venimos de ver al tío de Ramiro.

–¿Qué tío?

–Uno que es joyero, un tipo fenomenal, enrolladísimo.

–¿Tienes un tío joyero? –le pregunta, asombrado, Luis a Ramiro.

–Hacía años que no le veía. Es hermano de mi madre, el hermano mayor.

–Ya es casi verano –dice Luis.

–Sácanos a todos una foto, Luis –pide Dora–. Me gustaría enviársela a mi hermana.

–¿Cómo funciona este aparato?

–Me lo acabo de comprar –dice Ramiro–. Trae, dámelo a mí.

El perro de Luis se ha subido de un salto a su regazo. Dora tiende la mano para acariciarlo.

Ésta es la foto que saca Ramiro.

11. VENECIA

Blanca se ha apuntado al viaje a Venecia y ahora está llena de dudas. ¿Quiénes serán mis compañeras de viaje?, se pregunta. Le han dicho que son todas mujeres. Menuda novedad. Mujeres por todas partes. Vayas a donde vayas, mujeres. No deja de ser cómodo. Quedémosnos con esto, es cómodo.

Mientras acaricia a su perra, a su querida Tasia, piensa en la pobre oveja medio sumergida en un charco, moribunda, que encontró mientras paseaba por el pinar de El Plantío. La pobre oveja que es como la gente que no sobrevive, que muere en los charcos. Quién sabe si ha sido abandonada por el pastor. A lo mejor el pastor no se dio cuenta. Pero ¡qué raro!

Allí, junto a la oveja, Blanca llamó, desde su teléfono móvil, a la policía. Fueron muy amables. Le pidieron que les diera todo tipo de indicaciones. Se encargarían de localizarla, no tenía por qué preocuparse. Le dieron las gracias por llamar. En el caso de que tuvieran problemas para encontrarla, la volverían a llamar. Pero no volvieron a llamar, de forma que sí, es indudable que la encontraron. Ya no hay que pensar más en el destino de la oveja. No podía quedarse allí, empantanada, enfangada. Es todo lo que Blanca pudo hacer por ella.

Tiene la escena grabada en la cabeza. Sabe que no va a poder dormir. La oveja está ahí, en medio del charco, en el camino arenoso del pinar solitario. No se le ven las patas. Es un cuerpo impotente, herido. Tiene una mancha oscura en el cuello. Sangre. Abre los ojos. Los cierra, ¿a quién ve?

Tasia, al principio, ladró, pero luego metió el rabo entre las piernas y tiró para adelante. No quería saber nada de aquello. Quizá no podía saberlo, no podía entenderlo.

¡Cuánta miseria, Dios mío!, ¡cuánta incomprensión! Blanca acaricia la cabeza de Tasia. Lo siento, le dice, te tratarán bien. Me han dicho que es el mejor albergue de animales que hay. He indagado, ya sabes cómo soy. No te dejaría en cualquier parte.

Pero ya no tiene muchas ganas de viajar. ¿Qué importa si no se conoce Venecia?, ¡hay tantas cosas que no se conocen! Es simplemente por no vivir tan encerrada. Por el bien de todos. Del suyo y casi, casi, de la humanidad. De todas las personas que conoce. De su familia, de sus amigos, de sus conocidos. Tiene que romper la rutina de vez en cuando, olvidarse de la monotonía de su trabajo. Olvidarse, sobre todo, de su padre, de sus continuas llamadas telefónicas pidiéndole que le vaya a ver, del continuo reproche que le hace, unas veces veladamente y otras no, por tener una vida independiente de la suya. Como si aún fuera la hija que vive en casa. Naturalmente, no le ha dicho a su padre que se va a Venecia, eso suena a vacación, a diversión. Los reproches de su padre se multiplicarían. Le echaría en cara su soledad, su confinamiento. Le ha hablado de un viaje de trabajo a París.

Blanca mete al fin las últimas cosas en la maleta. Siempre le ha gustado viajar, siempre ha sido un poco aventurera. Le gusta ver la maleta sobre la cómoda, llena de cosas. Ha escogido la ropa con cuidado, se ha imaginado andando por Venecia vestida así. Otra vez vuelve la punzada de emoción, de expectación, ante el viaje. Mañana se levantará muy temprano y dejará a Tasia en el albergue. Luego, directa al aeropuerto. Llegará demasiado pronto, pero lo prefiere así. Le gusta deambular por las tiendas del aeropuerto, después de pasar por el control de la policía. Le gusta este terreno de tiendas que pertenece ya al viaje, a los viajeros.

Ya está aquí, en la inmensa tienda del duty-free. Ya ha empezado el viaje. Tasia estará bien, se dice, mientras se echa un poco de perfume de los frascos abiertos para que los prueben las consumidoras. Yo estoy bien. Cuando estoy bien, todo mejora. La humanidad mejora. Los animales mejoran.

¿Cómo será el grupo?, se pregunta de nuevo, mientras recorre la tienda, y se compra una crema para la cara y un lápiz de labios y, se le ocurre de pronto, una botella de whisky. Una botella pequeña en forma de petaca. Duda un momento, porque, en casa, las botellas de whisky no duran nada. Por eso ha decidido que no hay que comprarlas. Ésa es su norma. Beber en los bares, aunque salga más caro. Pero, cuando se viaja, las normas son otras. Es bueno tener whisky en la habitación del hotel. Una botella pequeña, para no pasarse. Es muy agradable beber whisky antes de salir a cenar, mientras te arreglas. Quién sabe si en la habitación habrá minibar. Quién sabe cómo será Venecia.

Va mirando a las mujeres que deambulan, solas, como ella, por el aeropuerto, ¿será alguna de ellas una futura compañera de viaje?, ¿se hará amiga de una de estas mujeres desconocidas con las que ahora se cruza?

Acomodada ya en el asiento del avión, Blanca vuelve a pensar en Tasia. Se la imagina acurrucada en un rincón del recinto común de los perros, sin querer mirar a los demás. Y, desgraciadamente, surge en su cabeza la imagen de la oveja tendida en el charco del pinar de El Plantío.

Mientras bebe una cerveza, se va sintiendo mejor. La vida es así de complicada. Siempre se están aprendiendo cosas. Ahora su cabeza está ocupada con perros y con ovejas, ¿quién se lo hubiera dicho? Ya no le interesa demasiado su carrera profesional. El mundo de las leyes, que durante años le parecía apasionante, se ha ido volviendo más y más aburrido. Pétreo. Le asombra el entusiasmo de algunos de sus compañeros de trabajo, ¿llegarán, tarde o temprano, a su misma conclusión? Lo más curioso de todo es que los hombres le han dejado de interesar. Eso sí que no se lo hubiera esperado. Cansarse de la profesión hubiera podido ser previsible, pero ¿de los hombres?,

¿de las aventuras? No, esto no se lo había dicho nadie. ¿Qué es lo que le ha pasado con los hombres? Es como si ya los conociera a todos y no esperara nada de ellos. Ninguna sorpresa. Ha conocido a varios, desde luego. Le ha ido bien con los hombres. No les tiene rencor. Pero ya está, es un asunto que se terminó. No lo añora. Cuando lo piensa, como ahora, le extraña un poco, más que nada por eso, porque no se lo había oído decir a nadie. Pensaba que seguiría sintiendo atracción por los hombres toda la vida. Hasta cierto punto, lo pensaba con algo de fastidio, como una especie de condena.

Ahora mira a su alrededor y encuentra a todos los hombres completamente faltos de atractivo. Podría, en todo caso, charlar un rato con alguno de ellos, hacer algún plan con él, comer, pasear, ir al cine, pero nada más. Hablar sí. Hablar me sigue gustando, concluye, satisfecha, y está a punto de dar pie a una conversación con su compañero de asiento, pero decide dejarlo para más adelante. Que empiece él, si quiere. Ha sido una mujer que ha tomado siempre la iniciativa. Eso ha sido muy divertido, pero ahora prefiere esperar, ahora prefiere la calma.

La ropa sí. Claro. La ropa le sigue gustando. Quizá no tanto como antes, pero aún le gusta mucho. Es una buena compradora. En general, no se equivoca. Ahora mismo se examina a sí misma y se encuentra perfectamente vestida, perfectamente arropada, a gusto entre sus cosas. Satisfecha.

¡Qué complicada es la vida! Pero bebes un poco de cerveza y te sientes bien. Eso también es muy raro.

Hay que aceptar lo raro. Si todo fuera simple y fácil, no tendría emoción. ¿Quién quiere una vida completamente plana? Sería la muerte.

Cuando el avión aterriza, se siente un poco aturdida. Ha olvidado qué ha de hacer para encontrarse con el grupo. Imagina que a la salida del aeropuerto habrá alguien que se lo indique. Su compañero de asiento le tiende la bolsa de plástico con las compras realizadas en las tiendas del duty-free. La crema y el whisky. Ha estado a punto de dejarlos. Lo mete todo en el bolso, como debió haber hecho desde el principio. Para eso ha escogido este bolso tan grande, para poder ir metiendo cosas, ¿por qué no lo hizo? Sólo ha metido la barra de labios.

Mientras espera, junto a la cinta transportadora, a que llegue su equipaje, vuelve a mirar a su alrededor en busca de mujeres solitarias, sus compañeras de viaje. Sería bueno que se conocieran cuanto antes.

Siente un gran alivio cuando ve el cartel de la agencia y a dos mujeres a quienes antes no había visto, pero que, evidentemente, son viajeras, junto al cartel. Ahora ya puede relajarse un poco. De hecho, no se encuentra del todo bien, tiene una especie de mareo.

Está en el vaporetto, en medio del Gran Canal. Los chicos de la agencia se han encargado de las maletas. Las otras viajeras hablan entre ellas. Blanca se ha sentado. La han hecho sentarse cuando ha dicho que se encontraba mal.

Está en Venecia, lejos de todo lo que conoce. No tiene nada dentro de su cabeza. Ni siquiera Tasia está allí. Respira profundamente. ¿A qué huele? El vaporetto parece brincar, la gente habla muy alto, la humedad lo invade todo. Entre los huecos que dejan las personas que llenan el vaporetto, se atisban los palacios que bordean el Gran Canal.

El viaje en el vaporetto es eterno. Se está bien aquí, sentada, en medio del bamboleo, de los gritos, de la gente que se empuja, de la humedad llena de olores penetrantes. Se está bien sin nada en la cabeza. En este aturdimiento.

Descienden en el embarcadero de San Marcos. Casi todo el mundo se baja aquí. Casi todas las maletas. ¿Se perderá la suya? Si llega sana y salva a la habitación del hotel será un milagro. La ropa escogida con tanto cuidado, su querida ropa, ya no importa tanto. Parece imposible poner orden aquí.

Pero se produce el milagro. Al cabo de un rato, Blanca está en la habitación del hotel y la maleta está ahí, junto a la cama. Es una habitación muy pequeña, diminuta, que da a un patio interior. Pero tiene cuarto de baño, como prometía la agencia, ¡y minibar! Muy poco provisto, por cierto. Comprar la botella de whisky no ha sido ninguna tontería. Es más, debió haber comprado una botella grande.

Durante la comida, en un restaurante próximo al hotel, lleno de turistas, el chico de la agencia les informa del plan. Naturalmente, cada una puede hacer lo que quiera, pero esto es lo que él propone. Él está para eso, para llevar a cabo el plan con quien quiera seguirlo. Les da una tarjeta con su nombre, el número de su teléfono móvil y otros teléfonos de emergencia. Todo parece bastante organizado.

Ya empiezan a notarse las afinidades. Blanca detecta a dos chicas más o menos de su edad, quizá más jóvenes, con las que ha intercambiado unas frases cómplices. Una de ellas, Elena, es recepcionista de hotel. La otra, Amalia, es modelo. Amalia había proyectado hacer el viaje con su hermana, que está casada y tiene tres hijos. Pero el pequeño amaneció ayer con cuarenta de fiebre. No ha encontrado a nadie que pudiera viajar en lugar de su hermana. Finalmente, ha decidido viajar sola. Pero habla mucho de su hermana. Es profesora en un colegio. Tiene una capacidad especial para tratar a la gente, un don. Se llevan muy bien, la hermana la ha apoyado en todo, en todos los trances difíciles de su vida. Siempre ha estado ahí, defendiéndola ante los padres, hiciera lo que hiciera. Y la confianza que tiene con ella no tiene límites. Se lo puede contar todo –sea lo que fuere ese todo–, nunca la juzga, siempre se pone de su parte. Está de su parte.

Blanca piensa en sus tres hermanas. En Malica, que se pasa el día viajando, buscando escenarios, cada vez más lejanos –empezó con Portugal, ahora está en la India–, para posibles películas, y siempre con un novio nuevo al que suele tratar con cierto desdén. En Estrella, que aún busca al hombre de sus sueños, el príncipe azul que le resolverá la vida. En Mar, siempre con gripe, siempre quejándose, da igual de qué. ¿Qué apoyo le dan sus hermanas?, cada una va a lo suyo. Para no hablar de sus hermanos. Quizá sea porque hayan sido familia numerosa. Cuando hay tanta gente en casa, cada cual busca su camino y no mira hacia los lados. Así que Blanca no habla de sus hermanas. Está sola en el mundo. Tiene a Tasia y tiene a su padre. Tiene el trabajo y los viajes.

Elena, la recepcionista, también tiene hermanas. No una, varias, pero es como si no las tuviera, dice. Son mayores que ella. Están cargadas de hijos. No tiene nada en común con ellas. Lo dice con una soltura que admira a Blanca, que la hace sentirse muy próxima a ella.

De pronto, las tres caen en la cuenta de que son, las tres, mujeres libres. No tienen marido ni hijos, ni novios, dicen, en el horizonte. Eso será lo que las ha unido.

Se convierten en inseparables. Algunas veces, hacen planes por su cuenta, pero incluso cuando van con el grupo, están siempre juntas.

Qué curioso, se dice Blanca. Yo, con todas mis pretensiones intelectuales, que las he tenido, resulta que ahora con quienes mejor me llevo es con las recepcionistas y las modelos.

Recorren Venecia juntas. Visitan iglesias y museos, pasean en góndola por los canales, toman muchos cafés y muchas cervezas en las terrazas de los bares. Hablan mucho, sin parar.

Una tarde, cogen el vaporetto del Lido. Hace un día gris. Contemplan la playa desde el hotel decadente de *Muerte en Venecia.* Las tres recuerdan la película de Visconti. Blanca es la única que sabe que está basada en la novela de Thomas Mann. ¡Qué sombreros, qué trajes llevaba Sylvana Mangano! Pero ese amor, ¿es posible? No se refieren al amor homosexual, sino a la conmoción que de pronto produce la juventud. ¿Se enamorarían de un adolescente? Las tres confiesan su edad. Elena, la recepcionista, tiene treinta y cinco años. Amalia, la modelo, treinta. Blanca, cuarenta y ocho. De manera que ella es la mayor. No hubiera imaginado que les llevaba tantos años a sus nuevas amigas. Se compara con ellas, y sabe que parece más joven de lo que en realidad es. Pero, por dentro, no. Por dentro, hay algo que la separa de ellas.

–A mí siempre me han gustado los hombres un poco mayores –confiesa Elena–. En realidad, más que mayores, no sé, con la vida hecha.

Dice que por su trabajo en el hotel ha conocido a muchos hombres, ha tenido, en fin, muchas aventuras. La mayoría de esos hombres estaban casados.

–Me gustaría que me lo dijeran al principio de todo, así yo ya sabría a qué atenerme, pero nunca lo dicen. Claro que yo me doy cuenta enseguida, ¡qué torpes son!, ¿es que creen que no pienso, que no ato cabos? Estoy harta de los hombres casados, son todos iguales, te tratan como si fueras estúpida. Y sí, algo estúpida soy, porque caigo una y otra vez en lo mismo, no lo puedo evitar.

Amalia dice que las pasiones son así, espantosas. Pero, sin ellas, la vida sería muy aburrida. Ha tenido un gran amor que la dejó destrozada. No se arrepiente. Le ha costado lo suyo, pero ya se ha rehecho, ahora sólo le interesa su carrera. Lo dice muchas veces, como si quisiera convencerse a sí misma.

Blanca escucha a sus amigas y no siente ningún deseo de contarles sus pasadas aventuras. Todo eso está muy lejos, se dice. Es mejor así. Sólo de pensar en ello, siente una profunda fatiga.

De regreso en el hotel, Blanca se da cuenta de que no tiene la cartera. La ha perdido o se la han robado. Hace memoria. ¿La sacó en el hotel del Lido? No la sacó. Elena se empeñó en invitarlas a todas. Tampoco la sacó para pagar el billete del vaporetto. De eso se ocupó Amalia. Resignación. Hay cosas peores que perder una cartera. Afortunadamente, había dejado el billete de regreso y el pasaporte en la caja de seguridad del hotel. Es, finalmente, un problema de dinero. Efectúa las necesarias llamadas telefónicas para anular las tarjetas de crédito. Pero la verdad es que se siente pobre, disminuida. Aún tiene algo de dinero, guardado, junto con el pasaporte y el billete, en la caja de seguridad, pero es muy poco. Sólo le llegará, si es que le llega, para pagar las comidas.

Elena y Amalia le dicen que no se preocupe. Si quiere comprarse algo, le prestarán dinero. Tienen tarjeta de crédito, ¿qué problema hay? Sin embargo, sí que lo hay, porque Blanca va comprendiendo que, por alguna razón, ninguna de las dos utiliza la tarjeta de crédito. Siempre pagan en metálico. La reservan para casos extraordinarios, colige. Cuando entran en las tiendas de ropa, nunca se deciden a comprar nada. En todo caso, cosas pequeñas, complementos. No gastan mucho dinero. Blanca no se había dado cuenta hasta ahora, pero ella es mucho más caprichosa que ellas, siempre encuentra algo que le gusta mucho en una tienda, algo caro. Se lo señala a sus amigas y ellas la desaniman. No es un traje tan bonito, dicen. Además, ¿no tiene uno muy parecido?

¡Como si eso importara mucho! Toda la ropa que tiene es, en el fondo, parecida, del mismo estilo, de los mismos colores. Es su estilo.

Ya no merece la pena entrar en las tiendas. Sin tarjeta de crédito, es mejor quedarse fuera. Es verdad que no le hace falta ese vestido, ni ningún otro. Espera a sus amigas en un café.

Una mañana, decide dar un paseo sola. Se interna por una Venecia desconocida, por calles silenciosas, lejos del bullicio de los turistas. Piensa en la novela de Thomas Mann. En la sensación de irse despidiendo de la vida, aunque ése no sea su caso, ¿por qué tendría que serlo? Es joven, aún es joven. Sin embargo, tiene esa sensación, la de estar en el núcleo de una despedida. Quizá se trate de una despedida lenta, pero ¿de qué?

¿De qué me estoy despidiendo?, se pregunta. Quizá todo se deba a no tener la tarjeta de crédito, a no poder comprar todo lo que me venga en gana.

Ha llegado al borde de un canal muy ancho. Se sienta en la terraza de un bar, al lado de una frutería. El olor de la fruta le hace sentirse bien, como si fuera exactamente lo que su cuerpo necesitara. Olor de fruta, olor de algo que ha crecido sobre la tierra.

Hay una pareja de novios en la mesa de al lado, ¿es necesario que se besen tanto, que se abracen tanto?, ¿no les basta con los ratos, sin duda muy largos, que pasan en su habitación?, ¿por qué esta necesidad de exhibir su amor? Quizá busquen eso, hacernos sentir a todos los demás más solos que nunca. Sin premeditación, pero lo buscan. Su amor vale mucho más si los demás estamos solos.

Estas conclusiones la deprimen un poco. En esto consiste la solidaridad humana, la generosidad. No quiere pensar en Tasia, ni en la pobre oveja del pinar de El Plantío, pero se siente más cerca de ellas que de cualquier ser humano.

Aunque hay unas personas a las que se siente algo cercana. Extraños hombres y mujeres que deambulan por Venecia y que dan la impresión de que se han instalado aquí hace mucho tiempo, gente venida de todas las partes del mundo, y que al final, después de muchos recorridos, ha decidido quedarse, pasear entre sus canales, estar aquí como parte del decorado.

Blanca ya conoce a esta mujer, la que ahora pasa por delante de la terraza del bar. Arrastra lentamente los pies, con infinito cansancio, y, a la vez, con asombrosa agilidad. Va envuelta en un perfume intenso, que marea. Pero ella pone un pie delante de otro y camina. No siempre en línea recta, desde luego. La mujer va dando bandazos, como si un viento invisible y silencioso la golpeara. Resulta milagroso que no se caiga. Blanca la vigila, por si necesita ayuda. Está dispuesta a correr hasta ella si se tambalea más de lo habitual. La mujer, al fin, desaparece al final de la calle.

Blanca paga su cerveza. Una vez más, hace cuentas. Tiene para comer, desde luego, y para beber, eso es aún más importante. Puede quedarse sin hacer compras, pero no sin beber sus cervezas y sus copas de vino. El whisky lo tiene en la habitación, ¡menos mal que fue previsora y se compró una botella en el aeropuerto, aunque sea pequeña! Se la irá racionando.

Regresa lentamente al hotel, donde ha quedado con sus amigas para comer, pero aún es temprano y, al cruzar una plaza, ve un banco libre y se sienta. De pronto, vuelve la cabeza y ve a la mujer del andar tambaleante. La está mirando.

–¿Qué es lo que está buscando siempre? –dice la mujer–, ¿no ve que no hay nada por aquí? La gente no deja nada para los demás, ¿cómo es que no se ha dado cuenta?

Blanca no habla italiano –sólo unas palabras, alguna frase–, pero esto es lo que ha entendido.

–Estoy dando un paseo –dice en español, pero tratando de poner acento italiano–. No busco nada.

La anciana asiente, como si lo comprendiera todo.

–Se lo he dicho para avisarla –susurra–. Me gusta usted. La conozco de vista. Conozco a mucha gente de vista, pero no me confundo. Sé quién es una persona y quién es otra.

–Parece usted muy sabia –chapurrea Blanca en italiano–. Yo, por el contrario, me confundo siempre. Y la verdad es que soy muy mala viajera. Dicen que hay que viajar, pero yo me canso enseguida. Creo que no voy a aprender muchas cosas, pero ya no me importa.

La anciana se ríe un poco entre dientes.

–¿Conoce usted al pequeño gurú de San Giorgio, el de la puerta de atrás?, ¿y al conserje del Hotel Felicità?, ¿y a la Bella Fiora? Son todos buenos amigos míos, se los puedo presentar, si quiere. Le gustarían.

–Seguramente –dice Blanca, levantándose.

–Adiós, adiós –dice la anciana a sus espaldas.

Una vieja loca inofensiva. Quizá alcoholizada.

Poco después, Blanca está comiendo con sus amigas. Están en un restaurante al aire libre, bajo una sombrilla. Sus amigas no le dejan pagar.

–Hoy te invitamos –dicen.

Insisten en lo mismo: no debe preocuparse por el dinero.

Blanca les relata su encuentro con la anciana. Recuerda casi literalmente sus palabras.

–Si hubiera sido un sueño, yo lo interpretaría así –dice Amalia–. Primero, la anciana te ha dicho que dejaras de buscar y luego que te iba a presentar gente. Yo lo veo relacionado con la cartera que has perdido. No te tienes que preocupar, te lo he dicho mil veces. Lo que tienes que encontrar lo encontrarás. A veces, si se busca mucho una cosa, no se encuentra. También lo digo por mí, desde luego.

–Yo no busco mi cartera –dice Blanca–. Pero me fastidia haberla perdido.

Durante los dos días que quedan del viaje, Blanca casi llega a olvidarse de la cartera perdida. En cambio, siempre mira a su alrededor, cuando sale a la calle, por ver si se cruza otra vez con la anciana medio loca. Le gustaría saber si la anciana la reconocería y volvería a hablar con ella. Un par de veces, cree divisarla a lo lejos, pero se esfuma enseguida. Lo curioso es que tiene todo el rato la sensación de que la anciana está muy cerca, no vigilándola, sino protegiéndola. La locura es contagiosa, se dice.

Y éstos son los recuerdos que se lleva de Venecia, la cartera perdida y la anciana medio loca. Mientras sus ojos recorren las fachadas de los palacios que dan al Gran Canal, en el vaporetto que ahora les acerca al aeropuerto, Blanca se dice que ha dejado algo aquí, en Venecia, y que en cierto modo Venecia también le ha dado algo, una especie de revelación.

Por primera vez en un viaje, no se ha comprado ropa. Pulseras de cristal de murano compradas el primer día para regalar a sus compañeras de trabajo y a sus amigas de siempre, éstas son todas sus compras. No hay una gabardina nueva o unos zapatos ni ninguna otra cosa de la que pueda decir siempre con el inconfundible tono de orgullo del viajero experimentado: Esto me lo compré en Venecia. Sólo unas pulseras, que ahora se quedará para ella, desde luego. No hay regalos esta vez.

¿Se lo ha pasado bien?, ¿ha merecido la pena el viaje? Tiene dos nuevas amigas, así que tiene que decir que sí. Ha habido muy buenos ratos alrededor de una mesa, bebiendo cerveza o vino o licores, hablando de hombres, del amor, de la rutina, de las pequeñas cosas de la vida. A veces, un poco de las grandes. Sí, también han hablando de cosas grandes, de filosofías, de ambiciones, de sueños. Ha sido un buen viaje, concluye.

Aún tiene pegado a la memoria el extraño olor de Venecia. Agua estancada, perfumes estancados y, de pronto, una vaharada de aroma de fruta fresca.

En Barajas, se despide de sus amigas con abrazos y promesas de citas inmediatas. Ahora sólo piensa en Tasia. Pagará el albergue con un talón bancario. Por fortuna, se llevó el talonario con ella. No le sirvió de nada en Venecia, pero ahora sí.

Le pide al taxista que la espere a la puerta del albergue de perros. Al fin, aparece Tasia, que hace como que no conoce a Blanca.

–Hay muchos perros que reaccionan así cuando sus amos los dejan al cuidado de otros por unos días –dice una voz–. Son, precisamente, los perros más sensibles. Pero se le pasará enseguida, no se preocupe.

Blanca se vuelve: ha hablado un hombre alto, que lleva un perro pequeño, de raza desconocida, en los brazos.

–¿No nos conocemos de algo? –sigue hablando el hombre–. Me parece que la he visto en alguna parte, ¿puede ser en el pinar de El Plantío? La verdad es que me pareció reconocer a la perra, es muy guapa, ¿cómo se llama?

–Tasia –dice Blanca–. Sí, voy muchos domingos a pasear con ella, siempre que puedo.

–Entonces, seguro que nos volveremos a ver –dice el hombre–. Voy a estar fuera hasta el viernes, pero el domingo iré sin falta.

Mientras Blanca y Tasia se acomodan en el taxi, el hombre del perro pequeño las mira.

–¡Hasta el domingo! –grita, agitando la mano–. ¡Me llamo Luis!, ¡Luis Ramírez!

Blanca le da a Tasia las galletas que ha guardado, de la comida del avión, para ella.

Después, Tasia posa la cabeza sobre el regazo de Blanca.

Y suspiran a la vez.

12. NUEVA YORK

Es la víspera de Nochebuena. A media tarde, suena el teléfono. Es mi madre. Está llorando. Billy, el marido de mi hermana Amalia, un norteamericano que había sido fotógrafo y que, por lo que sabíamos, ahora no era nada, es decir, no tenía trabajo ni lo quería tener, había llamado a casa de mis padres para decir que Amalia estaba en el hospital, le estaban haciendo unos análisis, aún no se sabía qué era lo que tenía, un virus extraño, difícil de localizar. Llevaba días presa de un cansancio infinito y el día anterior, al regresar Billy a casa –no dijo de dónde, de su deambular de fotógrafo en paro–, se la había encontrado tirada en el suelo, desvanecida.

Billy estaba desesperado, había llorado al otro lado del hilo telefónico como llora ahora mi madre hablando conmigo.

–¿Qué vamos a hacer, hija mía? Alguien tiene que ir –dice, entre lágrimas–. En plenas navidades –añade, confusa ante esa mezcla inesperada de las cosas, ante el asombroso hecho de que de repente las navidades pasen a ocupar un segundo plano.

Pienso a toda velocidad. No será fácil para mis hermanos, los dos casados y con hijos, disponer de unos días de vacaciones. Sé que sus jornadas de trabajo son largas. Y no dominan el inglés. Y, por encima de todo, son hombres. No les veo en un hospital de Nueva York –ni de ningún otro lugar– junto a la cama de Amalia, con quien ninguno de los dos se ha llevado nunca demasiado bien.

Trato de calmar a mi madre.

–Iré yo –le digo.

–¿Y qué vas a hacer con los niños? –dice, repentinamente alarmada también por eso, superada por todas partes–. Eva, tú no puedes ir. Nueva York está muy lejos, es una ciudad muy peligrosa, ¡con todo lo que ha pasado!, bastante sufrí cuando lo de las torres esas, como se llamen, todo aquel espanto, acuérdate, no podíamos hablar con Amalia, fue horrible, ¡no puedes ir a Nueva York!, no quiero ni pensarlo.

–Todas las ciudades son peligrosas, en todas pueden ocurrir catástrofes. Soy la única que habla inglés, mamá. Tengo vacaciones hasta después de Reyes. Puedo ir, soy la única que puede ir.

–Pero el inglés... –titubea–. Bueno, tus hermanos también saben...

–Soy profesora de inglés, mamá.

–Sí, ya lo sé. Claro. Bueno, los niños pueden venir a casa –se le ocurre, antes de que se lo diga yo–. Muy bien –susurra, con cierto alivio. Pero de pronto vuelve a inquietarse–. Voy a ir contigo, hija mía. No puedes ir sola, no voy a dejarte ir sola. Es Navidad.

Lo repite muchas veces. Se resiste a delegar en mí, yo no soy la madre de Amalia. No tengo por qué cargar con los problemas de mi hermana. Eso le corresponde a ella. Mi madre piensa que, si me acompaña, cumple con sus deberes de madre.

Me imagino con mi madre en Nueva York, teniendo que ocuparme de ella además de ocuparme de Amalia. Mi madre, que ya anda torpemente, que no sabe una palabra de inglés.

¿Cómo van a ir mis hijos a su casa, si no está ella?, ¿qué clase de navidades serían ésas para ellos? Éste es el argumento que la convence.

Luego está el problema del billete. Llamo a la agencia que suele ocuparse de mis vacaciones de verano. Los vuelos a Nueva York están completos. Le cuento a Javi, que siempre me consigue unos precios muy buenos, en qué urgencia me encuentro y, como es de prever, se toma el asunto como algo personal. Durante lo que queda del día, la mañana del veinticuatro y la del veintiséis, me llama constantemente por teléfono, comunicándome nuevas posibilidades, siempre pendientes de confirmación.

–No te preocupes, Eva. Algo habrá. Estoy a la espera de una oferta. Un vuelo que hace escala en Amsterdam, pero todavía no está confirmado.

¿Qué oferta?, a mí me dan igual las ofertas, lo que quiero es ir a Nueva York. Pero Javi es así. Cuelga. Al cabo de una hora me vuelve a llamar. Ahora estamos pendientes de un vuelo con escala en París.

Casi acabo por olvidarme de mi hermana. Sólo quiero conseguir el billete. Entretanto, mis padres intentan hablar con Amalia, pero es imposible. Han hablado con Billy y le han anunciado mi visita, pero Billy apenas ha comentado nada.

Está hundido, dicen mis padres con algo de pena, a pesar de que nunca han sentido mucha simpatía por él. Lo culpan de la lejanía de Amalia. Cuando mi hermana le conoció, estaba empeñada en ser modelo, cosa que a mis padres, con la discreción propia de la amedrentada clase media a la que se sienten pertenecer, no les hacía ninguna gracia, pero no podían oponerse a la voluntad de Amalia, tanto porque a Amalia nadie se le podía oponer –y mis padres, más que nadie, temían sus accesos de ira–, como porque los tiempos estaban cambiando, empezaba a extenderse la idea de que los hijos no necesitaban para nada el consejo de sus padres, es más, los hijos hacían normalmente aquello que sus padres censuraban más.

Apareció Billy y, después de sacar a Amalia mil fotos, o mientras se las sacaba, se enamoraron, aparentemente deslumbrados el uno por el otro. Amalia hablaba de Billy como si fuese una prolongación de Richard Avedon, el gran maestro, de cuya existencia nos enteramos entonces, y cuyo nombre caía de los labios de Billy cada cierto tiempo, como si lo necesitara para apoyar sus palabras.

Billy, decía Amalia, sin advertir nuestro escepticismo, y mucho menos la desconfianza de mis padres, iba a dejar atrás a Avedon.

Pero Billy desapareció. No sé si todo un año o si,

incluso, fueron dos. Desapareció y Amalia empezó, sin él, su carrera de modelo. Ya estaba allí, medio situada, cuando volvió Billy. Se casaron y se fueron a Nueva York.

Al cabo de un año, empezaron los desastres. Billy bebía. Fue perdiendo un empleo tras otro. Amalia encontró trabajo en el departamento de perfumería de unos almacenes, Bloomingdale's. Los mejores almacenes de Nueva York, dijo. No nos habló de su renuncia a la carrera de modelo. Pero creo que a todos, incluidos mis padres, que tanto se habían opuesto, aunque inútilmente, a ella, nos dolió la renuncia.

Pero Amalia estaba lejos, su vida estaba lejos. No la veíamos.

Cuando hablaba con ella por teléfono, percibía que algo se le había roto por dentro. A mi madre le decía que todo iba muy bien, que estaba contenta con su trabajo, que Billy estaba a punto de firmar un contrato con una empresa importante, que ya no bebía. A mí no me engañaba tanto, pero yo tenía mis propios problemas.

Era mi madre quien lo decía de vez en cuando:

–Amalia no ha tenido suerte.

Pero esa frase, que quizá era verdadera, me dolía. Yo tampoco había tenido tanta suerte. Mi marido me había dejado, no tenía trabajo ni dinero en el banco, y mis hijos, siendo lo mejor que yo tenía en aquel momento, aún complicaban más las cosas.

Fui resolviendo mi vida. Conseguí el divorcio, encontré trabajo, me aferré a la rutina. Mi madre lo seguía diciendo:

–Amalia no ha tenido suerte.

Ya no me dolía tanto, pero no tenía mucho tiempo para pensar en Amalia.

Acabé por olvidar que un día Amalia había soñado con ser modelo. Venía a España a pasar unos días del verano. Menos el último verano, siempre había venido con Billy, que sentía un gran entusiasmo por España. A pesar de que Billy no pronunciaba una palabra de español, se entendía perfectamente con todo el mundo, más con la gente con la que hablaba en la calle –sobre todo, en los bares– que en casa, con nuestra familia. Nunca le habíamos interesado, y ahora que ya no miraba a Amalia con aquella expresión de rendición absoluta que le dedicaba cuando la conoció, aún parecía más ausente. Estaba allí sin estar, sólo porque en aquella casa tenía un lugar donde dormir. Se sentaba en una butaca, aferrado a su vaso de vino, y acababa por cerrar los ojos, encerrado en sí mismo.

Amalia no era feliz. No lo decía. Trataba de suavizar las cosas, de disculpar a Billy por sus silencios, hasta por su mala educación. Estaba tan contenta de estar en casa que apenas se fijaba en la actitud de Billy. Amalia, que había sido tan rebelde, que les había montado a mis padres verdaderos números, siempre convencida de tener todo el derecho del mundo a hacer lo que le viniera en gana, era ahora extraordinariamente cariñosa con ellos, les cogía las manos, les besaba. Ya nadie hablaba de Richard Avedon.

Pero el último verano Amalia vino a Madrid sola.

Billy tenía trabajo, dijo. Nadie preguntó más. Todos estábamos encantados de que no estuviera Billy.

Era verano, hace sólo unos meses. Amalia apenas salió de casa, del mundo de mis padres. Acompañaba a mi madre en sus recados por el barrio. La llevaba al cine, al teatro, a merendar. Había venido a Madrid con ese fin: a darles calor a mis padres, el calor que nadie le daba a ella.

Después de innumerables llamadas de Javi, voy al fin a retirar mi billete. Mi avión sale del aeropuerto de Barajas el veintisiete de diciembre, a media mañana. Siento que mis fuerzas flaquean, que Nueva York es una fortaleza inexpugnable, un territorio enemigo en el que mi hermana está presa. Echo de menos a alguien que me pudiera acompañar. Por unos momentos, me digo que no hubiera debido disuadir a mi madre.

Hablo con Billy por teléfono. Me irá a recoger al aeropuerto, dice.

–Ya le he dicho a Amalia que vienes –añade–. Está muy contenta.

Durante el viaje, trato de imaginar cómo será la habitación del hospital donde está ingresada mi hermana, cómo será Nueva York, cómo será pasar unos días allí, en una ciudad que sólo conozco por las películas. Esto es lo que me espera en Nueva York: una hermana enferma en un hospital y un cuñado con quien nunca he hablado mucho.

Arrastro la maleta de ruedas hasta el vestíbulo del aeropuerto. Busco a Billy con la mirada. Nunca me había creído del todo que me fuera a buscar, pero ante su ausencia evidente me siento indignada, ¿por qué me ha engañado? Salgo al exterior y me uno a los viajeros que aguardan taxi y que van siendo casi literalmente empujados hacia ellos por un policía negro que maneja la situación a gritos, con grandes aspavientos y a toques de silbato.

Entro en un Nueva York oscuro y gélido y, a la vez, luminoso, rutilante. Sobrecargado de adornos de Navidad. Altísimos abetos fluorescentes y cientos de voluminosos Santa Claus por todas partes. Al fin, he caído en esta inmensidad, en este contraste entre las tinieblas y la luz. Estoy sola en Nueva York. Me dirijo hacia la casa de mi hermana. Me pregunto si estará Billy, sólo pido eso, que Billy esté en casa. Todo lo que quiero ahora es dormir. Si puedo disponer de una habitación, si puedo echarme en una cama, afrontaré el resto. Ahora necesito reponer fuerzas. Sólo eso.

Pago al taxista y entro en el edificio. Por casualidad. Porque una mujer que está abriendo la puerta me deja pasar con gesto indiferente: que entre quien quiera, por mí, que se hunda el mundo. No sabe cuán magnánimo resulta su gesto para mí.

Ya estoy en el edificio en el que se encuentra el piso de mi hermana, esa dirección a la que en los últimos años yo había enviado algunas cartas. No demasiadas.

Me miro en el espejo del vestíbulo. Después de más de doce horas de viaje, todavía sin saber si tengo una habitación donde pasar la noche, mi cara es una mancha borrosa en la que las facciones se pierden. Mi cara y mi cuerpo, todo se pierde ahí. Sólo veo años y desilusiones, esfuerzo, responsabilidades. Veo mi edad, me digo que ya he vivido mucho, no sé si quiero vivir más. Eso pienso de pronto. Es una ráfaga, una sombra que cae sobre mí. Pero tengo que ayudar a Amalia. He venido a Nueva York para eso. Entro en el ascensor, me apoyo contra la pared, tengo miedo de quedarme sin fuerzas.

Estoy en un inacabable corredor lleno de puertas. Busco el número del piso de mi hermana. Pulso el timbre de la puerta. Silencio absoluto.

Me quedo un rato ahí, apretando de vez en cuando el timbre, sin saber qué hacer.

Una de las puertas contiguas se abre, aunque no del todo, lo que da de sí la cadena de seguridad. Un hombre con la cabeza rapada y aspecto de veterano de guerra me pregunta qué ando buscando. Le doy el nombre de Billy y el de mi hermana. No les conoce, niega con la cabeza. No se trata con nadie, me informa. Me recomienda que salga del edificio antes de que alguien me denuncie por allanamiento.

Se queda allí, espiando mis movimientos, mientras me dirijo hacia el ascensor. Me vuelvo para mirarle. No ha apartado los ojos de mí. De su mano pende un cigarrillo.

Arrastro la maleta por la calle helada y navideña. Los taxis pasan velozmente a mi lado, sin detenerse. Me gritan algo que no logro entender. Al fin, milagrosamente, un taxista me recoge. Es un hombre de origen hispano, dominicano, creo. Es difícil encontrar una habitación en estas fechas, dice. Tengo dos opciones, me explica, o un hotel muy caro o una habitación barata.

–Una habitación barata –digo.

Dejamos atrás la iluminación del centro, nos internamos por calles más oscuras.

–Esto es Chelsea. Unos amigos míos tienen un pequeño hotel. Son hindúes. Está en la Once con la Veintitrés. Cerca del Hudson.

Me acompaña y habla con los dueños.

Me encuentro al fin en una habitación, un cuarto exiguo con dos camas, casi sin espacio para estar de pie. Un cuarto inhóspito. Para dormir cuando se tiene mucho sueño.

La Once con la Veintitrés. A unos pasos del Hudson, cuya humedad, incluso dentro del frío de la noche, he respirado al bajar del taxi. El fin del mundo.

A las ocho de la mañana, llamo a Billy. El teléfono suena largo rato, Al cabo, escucho su voz. Le digo que estoy en Nueva Yok. No le digo cuándo he llegado, no le hago ningún reproche porque ayer no fuese a recogerme al aeropuerto, por haberme dejado sola, ¿de qué sirve eso ya?

–Dame las señas del hospital. Quiero ver a mi hermana cuanto antes.

–Voy contigo. Dime dónde estás y te paso a recoger.

No se lo digo. Quedamos en el bar de un hotel, cerca del hospital.

Pido un café mientras le espero. Si tarda, iré sola. El hospital está a dos manzanas de aquí.

Justo cuando voy a pagar, entra Billy. Se mueve con cierta inseguridad. Pide un whisky. Empieza a hablar casi sin mirarme. Se está disculpando, aún no sé de qué, pero me parece natural que se disculpe.

Me ha dejado colgada. Pero se está disculpando de algo más.

Cuando Amalia se desvaneció, se hizo daño. No tenía que haberla dejado sola, dice.

–Pero ¿qué es lo que le pasa?, ¿se sabe ya qué enfermedad tiene?

Billy niega con la cabeza.

–Se golpeó la cabeza. Eso es lo malo.

Por unas décimas de segundo, Billy me mira a los ojos. Los baja, avergonzado. De repente, lo comprendo.

–Fuiste tú.

No contesta. Le tiemblan las manos cuando coge el vaso de whisky.

–No sé cómo fue –dice al fin–. No lo entiendo. Te aseguro que no lo entiendo, Eva. Créeme. La llevé al hospital.

–Vámonos.

Me acompaña hasta el hospital. Se despide en la puerta. No se siente con fuerzas para verla, dice, no lo soporta, no tiene perdón.

El hospital parece un hospital de campaña, algo improvisado o algo que, por el contrario, existió hace tiempo y ahora no es sino la sombra. Pero la mujer de recepción es amable. Se alegra de que venga alguien a visitar a Amalia. No ha recibido ninguna visita desde su ingreso.

–He conseguido mantenerla en una habitación de una sola cama –dice–. Necesita tranquilidad.

Subo dos pisos, recorro varios pasillos que dan la vuelta al edificio. Abro la puerta de la habitación de Amalia.

Nos quedamos un momento mirándonos. Apenas nos vimos el verano pasado. Conversaciones rápidas, fugaces. Le cojo las manos, me dejo caer sobre la cama.

–Has venido.

–No he podido venir antes. No encontraba billete.

–Ya estás aquí.

Tiene la cabeza vendada y la cara amoratada. No sé con qué la habrá golpeado Billy. Tiene golpes por todo el cuerpo, pero el peor es el de la cabeza.

–Soy muy feliz, Eva –dice, apretando un poco mi mano.

Voy a hablar con la enfermera de la planta.

–Todavía está con un cuadro traumático, pero ya ha empezado a recuperarse. Si desea hablar con el médico venga mañana a las siete.

Paso la tarde al lado de Amalia. La mayor parte del tiempo, ella duerme. Abre los ojos y me sonríe. No tengo hambre. Sólo sed. Bebo agua de los grifos instalados en el pasillo.

Voy andando un rato por las calles heladas antes de coger un taxi que me devuelva a mi sórdida habitación de hotel. Voy al supermercado de la esquina, siempre abierto, y me compro algo de comer y una botella de vino.

Enciendo todas las lámparas del cuarto, aunque resultan insuficientes. La luz es muy débil, amarillenta. Me echo sobre la cama, doblo el abrigo y lo pongo debajo de la almohada para tener más apoyo en la espalda. Como, bebo, y me quedo dormida.

Me despierto de madrugada. Salgo al pasillo para

coger café de la máquina que está en el rellano, frente al ascensor, un café amargo que me remite a algo impreciso, un café tomado hace mucho tiempo, quizá el primer café que tomé, o un primer desayuno con alguien. Un sabor que te hace pensar, de golpe, en lo difícil que es vivir.

La ducha está al final del pasillo. Me llevo el jabón y la toalla que he encontrado sobre una silla, ¿cómo se habría sentido mi madre en este hotel?

Aún es de noche cuando bajo a la calle. Amanece mientras desayuno en la cafetería, al lado del supermercado. Lo que me estoy ahorrando en la habitación lo emplearé en taxis. No me siento con fuerzas de coger el metro, de sumergirme en los sótanos de la ciudad.

Llego al hospital antes de las siete. El médico aún no ha llegado. Se retrasa unos minutos, pero me atiende enseguida. Aunque es un hombre muy joven y algo lacónico, parece de fiar. Esperaba que el golpe que Amalia había recibido en la cabeza no le dejara secuelas. La herida cicatrizaría pronto. Una vez dada de alta, aún no me podía decir cuándo, Amalia tendría que volver al hospital para que le hicieran una revisión. Quizá todos los meses. Pero él confiaba.

Le pregunto si sabe si mi hermana ha presentado una denuncia contra Billy. He preferido, de momento, no hablar de esto con Amalia, le digo.

El médico me mira un poco asombrado. ¿Es que no sabe dónde nos encontramos?, pregunta. Este hospital está especializado en estos casos, ¿es que no me he fijado en todos los carteles que hay por los pasillos? Aquí se presta ayuda a las personas que sufren accidentes como el que ha sufrido mi hermana. Ayuda de todo tipo.

Así que Billy le pegó y luego la trajo aquí, ¿no resulta extraño?

El médico me dice que no es el único caso, que algunas personas reaccionan así, y que eso, naturalmente, es buena señal. Resulta tranquilizador de cara al futuro. Son personas violentas, pero con capacidad de arrepentimiento.

–En medio de todo, su hermana ha tenido suerte –dice.

Paso el día con mi hermana. Hoy está mucho mejor. No duerme todo el tiempo. Desde el teléfono de su habitación, llamamos a nuestros padres. Amalia habla con ellos. Todo está en orden, decimos, no hay motivos para preocuparse. Se trata de una infección, no hay peligro. Nos hemos llevado un buen susto, pero no es nada, una simple infección.

Le pregunto si ha sido la primera vez que Billy se ha comportado así. No me atrevo a decirlo claramente, ¿es la primera paliza que te ha dado?

–Prefiero no hablar de esto, Eva –dice Amalia–. Ya se ha terminado. Él lo sabe también.

¿Será fácil?, ¿será Amalia lo suficientemente fuerte como para plantar cara a la situación?, ¿no sería mejor que Amalia regresara a España? A pesar de lo que me ha comentado el médico, no las tengo todas conmigo. Billy no me gusta.

–De momento, me quedaré aquí –dice–. Tengo que resolver mi vida y tengo que hacerlo aquí.

Le pregunto si tiene amigas, alguien en quien

apoyarse un poco cuando salga del hospital. Dice que sí, que no me preocupe. Pero ¿dónde están?, ¿por qué no vienen a verla? Me callo estas preguntas.

–Sé lo que estás pensando –dice–. No saben nada y, bueno, es Navidad, ¿no? Todo el mundo está en casa, haciendo comida para la familia, o en la calle, de compras. Las llamaré, no te preocupes. De momento, tengo la ayuda que necesito. Aquí se ocupan de todo. Y me siento bien, con fuerzas. Ahora que has venido.

Cuando llego al hotel, con algo de comer y una botella de vino en la bolsa de papel marrón, me acomete un gran desánimo. La luz amarillenta de la habitación es deprimente. Pienso en mis hijos, en sus vacaciones de Navidad sin mí. No se me ha ocurrido traerme algo para leer. En mis días no cabe mucho tiempo para la lectura. Los alumnos y mis hijos llenan las horas.

Abro el cajón de la desvencijada mesilla de noche y saco la Biblia. Un libro gastado, manoseado, quién sabe por quién, quizá haya sido comprado en un puesto callejero o en una librería de viejo. Hay unos folios doblados, alguien los ha guardado aquí y se ha olvidado de ellos.

Es una carta. Una carta escrita en este mismo cuarto, una carta que no ha sido enviada. Está fechada en agosto de este año que está a punto de concluir, el diez de agosto del año 2002. Justo en ese tiempo, Amalia estaba en Madrid, llevando a mi madre a merendar a cafeterías, al cine y al teatro, mirando los escaparates de las tiendas del barrio.

Es una carta escrita en inglés, pero está claro para mí, que soy profesora de inglés, que quien la ha escrito es, precisamente, un estudiante de inglés. No sé de dónde puede ser el autor de la carta.

Leo la carta mientras me bebo la botella de vino. La leo esa noche y la vuelvo a leer otras noches, todas las noches, a pesar de que me he comprado unas novelas baratas en el supermercado, pero no entro en ellas. La carta me trae fragmentos de una vida ajena, me aleja de la tristeza que irradia de la luz amarillenta de las lámparas. Me aleja de la vida incierta que le espera a Amalia, de la amenaza que representa Billy, de la nostalgia de mis hijos.

«Siempre he soñado con patinar en el Madison –leo–. Las luces se encienden y aparezco completamente vestido de negro, la cara maquillada de blanco, los ojos sombreados de negro. Me deslizo con suavidad al compás de una música ligeramente inquietante. Una noche, el hielo se quiebra bajo mis patines y me sumerjo en el agua. Pero no me ahogo, buceo bajo la ciudad. Conozco todo lo que la ciudad inmensa esconde, lo que nadie es capaz de ver. El agua está tibia, casi caliente. De pronto, quema, me sofoca. Me despierto.»

Veo la placa de hielo que se rompe, veo el agua caliente que fluye bajo la ciudad. Tengo la impresión de que quien escribe la carta es muy joven. Lo imagino en mi misma habitación, quizá sentado, como yo, sobre la cama, ¿en que otro sitio podría haberse sentado?

Era verano. Ni siquiera pudo patinar en la pista de hielo del Rockefeller Center.

Me acerco al Rockefeller Center a la salida del hospital. La pista de hielo está llena de patinadores. Me digo que sus vidas son fáciles, no tienen una hermana en un hospital, no están solos en Nueva York, pero ¿qué sé de ellos?

No se alojan, desde luego, en el oscuro rincón de Manhattan donde me refugio todas las noches. En la sórdida habitación en la que me bebo lentamente, antes de quedarme dormida, una botella de vino. Donde leo la carta del patinador, mi única compañía.

«Las noches de los fines de semana mi principal entretenimiento es fumar hierba y ver pasar los coches que surcan la noche y se detienen frente al semáforo, justo debajo de mi ventana, en el tercer piso del edificio. Me gusta observar a la gente. Hablan, ríen, incluso he visto a algunos ligar en este semáforo. Adónde irán. Yo no salgo, no me pierdo por ahí. Me quedo en el hotel. Las mañanas son lo mío. Me pongo mis patines de ruedas y me voy a Washington Square. Me llevo un libro, me tomo un perrito caliente, y si hay suerte, veo un espectáculo callejero, y si tengo mucha suerte, veo a alguna estrella de cine. Me he cruzado con Robert de Niro un par de veces. Iba solo. No puedo comprender cómo un tío como Robert de Niro va solo por la calle. Si alguna vez triunfo en algo, no pienso ir solo a ningún sitio.»

No sé de qué se refugiaba ese joven en la habitación, por qué se quedaba en el cuarto respirando el aire húmedo que venía del Hudson como si no tuviera ningún plan. Nuestras vidas tienen cierto paralelismo. Durante el día, él patinaba y recorría las calles.

Yo paso los días en el hospital. Por las noches, se quedaba en la habitación. Como yo.

El semáforo está aquí, bajo la ventana. Pero hace mucho frío como para asomarme y dedicarme a observar a la gente. Washington Square está cerca, a unos veinte minutos andando, lo he comprobado esta mañana, antes de ir al hospital. No me he cruzado con Robert de Niro. No me he cruzado con ninguna estrella de cine. Pero puedo imaginar a Robert de Niro en esta habitación del hotel en alguna de sus películas.

Agosto. Había otros inquilinos en el hotel.

«Ya tengo hasta conocidos aquí. Jane es drogadicta, heroinómana, vive en la habitación de al lado. A mediodía, cuando el calor ahoga, abre la puerta del cuarto. Tiene una diminuta televisión constantemente encendida, lo más curioso es que se sienta dándole la espalda, mirando hacia el pasillo. Fija los ojos en mí cuando vengo de la ducha. Jane apenas sale del cuarto, sólo para comprar patatas fritas y Coca-Cola, su dieta, descontando el caballo.

»Tiene treinta años, me ha dicho el dueño del hotel cuando le he preguntado por ella. Sólo me ha dicho eso: Tiene treinta años. Como si fuera un dato revelador, único, como si no hiciera falta añadir nada más. Toda la vida de Jane se resume en eso: tiene treinta años. Parece que tiene cincuenta. Parece mayor que Robert de Niro.

»Cuando salía de la ducha esta mañana, casi rezando por no encontrarme con nadie por el pasillo, he visto que la habitación 37, la habitación de Jane, estaba abierta de par en par. He ido a la mía, me he vestido, y he vuelto a salir al pasillo. La habitación seguía abierta, la televisión, como de costumbre, encendida. Retransmitían un partido de béisbol, los Mets contra los Cardinals. Mike Piazza estaba listo para batear. El cuarto de Jane estaba más ordenado de lo que se esperaría de una yonqui. Qué cóño sabré yo sobre los cuartos de los yonquis.

»Cuando me disponía a volver a mi cuarto, me he topado con Jane. Venía del otro extremo del pasillo. Me ha pillado in fraganti dentro de su cuarto. Me he temido lo peor. Pero ella ni se ha inmutado. Como si yo no existiera, se ha sentado en su butaca, dándole la espalda al televisor. Luego me ha preguntado si me gustaba el béisbol, y luego de qué equipo era. Los Red Rox, he dicho. Jane ha cerrado los ojos y no ha vuelto a pronunciar palabra. Me he quedado en el umbral de la puerta, mirándola. En algún momento de su vida, fue una mujer atractiva. Mike Piazza fue eliminado y se encaminaba, mascando chicle, hacia el banquillo de los New York Mets.»

Ese nombre, Mike Piazza, no me dice nada, pero suena bien. ¿Qué habrá sido de Jane? La habitación 37 está llena de gente, una familia entera. Son muy blancos, translúcidos. Le pregunto al dueño por Jane, por la mujer de la habitación 37.

–Se fue hace un mes. No, no dejó ninguna dirección. Quizá se fuera a su casa a morir. Si es que estamos hablando de la misma persona –dice, y se da la vuelta.

A lo mejor hubo una segunda y hasta una tercera Jane. A lo mejor la mujer que se ha ido del hotel hace un mes no es Jane, la heroinómana de treinta años que se sentaba de espaldas al televisor y dejaba abierta la puerta de su cuarto. A lo mejor Jane no ha muerto.

En agosto, hace sólo unos meses, al caer la tarde, el joven de la carta se sentaba, de espaldas al Hudson, en una de las sillas de plástico que los dueños del hotel sacaban a la calle. Se sentaba con ellos, ¿de qué hablaban? Yo apenas he cruzado unas palabras con ellos. Son hindúes. Tengo la impresión de que a ellos la Navidad ni les va ni les viene. No hay muchos adornos en el hotel. Una guirnalda sin brillo sobre el mostrador.

«Ahora es ya de noche y estoy mirando por la ventana. Es una noche especialmente oscura, pero hace calor. En la calle, los hindúes están sentados en sus sillas de plástico. Fuman y de vez en cuando dan grandes risotadas. Dentro de un rato, bajaré y me sentaré con ellos. Este rincón de la ciudad parece al margen de todo. Lo único que rompe la quietud son los coches que pasan por la Once. Cerca de aquí, subiendo por la Veintitrés, está el Hotel Chelsea. Allí pasó Nancy la última noche de su vida. Sid Vicius la mató. Al poco tiempo, él murió de sobredosis. Yo no mataría por amor.»

Éstos son los personajes del chico de la carta, todos desconocidos para mí. Le pregunto a Amalia si conoce a alguno de ellos. Me dice que Nancy y Sid Vicius eran cantantes. Heroinómanos y cantantes. Gente que vive al margen, contra corriente. Gente que se autodestruye. Lo dice como si estuvieran cerca de ella.

Mientras recorro los pasillos del hospital, voy leyendo los carteles que hay pegados por todas partes. Proclaman todo tipo de ayuda, física, moral, legal... Números de teléfono, casas de acogida. Contra el maltrato. No sé cómo no me fijé en ellos la primera vez. Quizá porque son demasiados. Yo sólo buscaba el número de la habitación de mi hermana. No vi nada más. ¿Conocía Billy la existencia de este hospital?

La mañana del día treinta y uno. Subo por la Veintitrés hasta el Hotel Chelsea, y me quedo un rato contemplando la fachada. No desayuno, como de costumbre, en la pequeña cafetería que linda con el supermercado abierto durante veinticuatro horas. Es el último día del año, y desayuno en una cafetería más lujosa.

Ante mi asombro, alguien se sienta enfrente de mí.

–No me lo puedo creer –dice ese alguien, un chico a quien de momento no reconozco–. Mi profesora de inglés.

–¿Y quién eres tú?

–Ya veo que no me has reconocido. Soy Japi.

–¿Japi?

–Bueno, Ramón Campos.

–Ramón Campos. Sí, ya me acuerdo. Dejaste el colegio hace dos años. Eras muy buen alumno, ¿qué significa eso de Japi?

–Japi de happy. Feliz en inglés. Así es como me llaman, no sé por qué. Así son los motes.

Le invito a desayunar. ¿Qué hace en Nueva York? Ha venido a pasar unos días con un tío suyo que está haciendo prácticas, o quizá siguiendo un curso, en una empresa de Manhattan. Algo relacionado con la publicidad. Le hablo vagamente de las razones de mi viaje.

–¿Qué haces esta noche, profesora? –me pregunta.

Pensaba comprar uvas y champán francés y brindar y tomar las uvas con Amalia antes de las ocho, la hora en que las visitas deben abandonar el hospital. Le digo que no había pensado en nada, que no tengo ningún plan. Le digo que me llame Eva.

–Tienes que venir a la fiesta de mi tío, Eva.

Me escribe la dirección y el teléfono en un papel, me hace jurar, poniendo en ese momento su mano sobre la mía, que voy a ir. Luego me acompaña a buscar un taxi.

En un supermercado cercano al hospital compro uvas, champán francés, queso, paté y barritas de pan tostado. Amalia parece haber mejorado mucho, como si hubiera transcurrido mucho tiempo desde mi llegada. La enfermera de la recepción, la enfermera jefa y el médico me felicitan. La recuperación de Amalia parece un milagro. Quizá sea verdad que Billy no vuelva a acercarse a ella, que tenga amigas que puedan ayudarla. Puede que se vaya a vivir con una de ellas. Que rehaga su vida.

No le hablo a Amalia de mi encuentro con Japi, de la fiesta a la que quizá vaya por la noche. Tomamos las uvas, nos bebemos la botella de champán, invitamos a las enfermeras. En fin de año todo está permitido. Puede acabarse el mundo.

En el taxi, de vuelta a casa, de vuelta a mi viejo

hotel de Chelsea, me digo que no iré a la fiesta de Japi. Mis hijos están en casa de mis padres. He hablado con ellos. No me echan de menos. Están en lo suyo. Tienen nuevos juguetes, esperan más, les voy a llevar, de Nueva York, alguna sorpresa. No necesito ninguna fiesta.

Bebo un vaso de vino y me quedo dormida. Me despierto, miro el reloj. Son las diez. Cojo el jabón y la toalla y voy al cuarto de baño, en el extremo del pasillo. No tengo ningún vestido de fiesta, pero me las arreglo con lo que tengo. ¿Cómo es que he cambiado de opinión tan rápidamente? Quiero huir de mi cuarto, salir de aquí como sea.

Llego al piso del tío de Japi a eso de las doce. De momento, no le veo. El apartamento está abarrotado de gente. Hay bandejas con comida sobre todas las superficies disponibles y por lo menos en dos rincones de la casa se han instalado unas mesas llenas de bebidas. Un hombre bajo, de complexión fuerte y muy moreno, se me acerca de vez en cuando, se me cuelga del brazo, y me pregunta si necesito algo.

–Cualquier cosa, ya sabes. En esta ciudad puedes conseguir lo que quieras, ¡qué ciudad! Digan lo que digan, no ha cambiado, Nueva York sigue siendo Nueva York. No hay quien pueda con esta ciudad.

Luego sé que este hombre que me ha hecho una oferta tan amplia y tan ambigua es el tío de Japi.

De pronto, Japi aparece. No se separa de mí.

Inmersos en la blanquecina luz del alba, cogemos un taxi que nos lleva a mi hotel, a mi vieja habitación de Chelsea. A Japi le entusiasma. Me duermo, no sé a qué hora del primer día del año 2003, en brazos de Japi.

Damos un paseo a primera hora de la tarde, antes de que oscurezca, antes de que yo vaya al hospital. Nos detenemos frente al Hotel Chelsea.

–En una de las habitaciones de este hotel murió Nancy. Sid Vicius la mató –le digo, pero no le hablo de la carta que he encontrado en la Biblia.

No le hablo del patinador. Al patinador me lo guardo para mí.

Japi se queda mirando, silencioso, la fachada del hotel. Su brazo abarca mis hombros, me apoyo en él. Callejeamos hasta Union Square. Siento por Japi una ternura inmensa. Me estoy apoyando en él, pero, a la vez, le estoy dando cobijo. Le pregunto cosas de su vida. Lo quisiera saber todo. Japi me responde con vaguedades. Se diría que hubo obstáculos importantes en su corto pasado, escollos que le costó superar. Tiene un tono sabio, ese tono que se alcanza después de haber sufrido. Los adolescentes sufren, lo veo cada día con mis propios ojos. Pero Japi ha sobrevivido. Sobrevivimos los dos en este año nuevo tan lejos de casa.

Es de noche. Estoy sola. Otra vez, tengo la carta en las manos.

«Esta mañana escribo desde Union Square. Me he sentado a la sombra. La plaza está llena de gente. Mañana me voy. Nadie en la plaza sabe que me voy. Nadie en la ciudad lo sabe. Un chico de pelo largo y un acento que no puedo catalogar me pregunta si podría hacerle una foto a su grupo. Me da la cámara. Se despiden de mí. Otro de los chicos me da unas palmadas en el hombro, como para agradecerme el favor. Por un momento, me he visto rodeado del grupo, como si fuera mío. Me habría gustado hablar su idioma y contarles un par de chistes o algo así. Estar un rato con ellos. Reírme con ellos con las grandes risotadas de los hindúes cuando salen a tomar el fresco a la calle y se sientan en las sillas de plástico, de espaldas al Hudson.

»He comido un par de porciones de pizza en un mugriento local regentado por hispanos. En una tienda de discos he escuchado un par de discos enteros, a pesar de que uno era francamente malo, pero necesitaba escuchar música. He subido hacia el Village. He entrado en una librería diminuta de libros y discos de ocasión. La tienda estaba llena de gatos que se arremolinaban entre inverosímiles torres de libros. No parecía haber nadie más. De alguna parte salía un viejo tema de blues. Se me ha pasado por la cabeza la absurda idea de ponerme a hablar con los gatos.

»Me he despedido del dueño y he subido las escaleras llenas de moscas que llevan al tercer piso. Es un pequeño ejercicio. Me he detenido en el umbral de la puerta de Jane, como siempre, medio abierta, y he dado un par de golpes leves para anunciar mi visita. Ninguna respuesta, pero el televisor estaba encendido y me he decidido a entrar. Jane estaba dormida en su desvencijada butaca. He apagado el televisor, he apagado, también, la luz, y he cerrado la puerta. Me ha parecido que en los labios de Jane había una pequeña sonrisa. Una débil luz en este sórdido hotel de Chelsea.

»La última noche que paso en este cuarto. Si las paredes no estuvieran llenas de garabatos y la moqueta del cuarto tan descolorida y tan sucia que cuesta pisarla descalzo, diría que me da pena largarme de aquí. Lo mejor es el destartalado televisor, sólo se ve un canal y es un canal en español.»

¿Adónde se fue?

Yo también me despido. De la mayor parte de las personas, silenciosamente. ¿Me da pena marcharme? Los ojos de Amalia se llenan de lágrimas al abrazarme, la enfermera jefa de la planta me estrecha la mano con fuerza y me mira fijamente, como si quisiera transmitirme una gran firmeza, una gran confianza. Todo irá bien.

Sé que todo ha ido bien, mejor de lo que pensé al principio, pero tengo, en lo más hondo, una leve sensación de fracaso, quizá porque no he tenido esa conversación con Amalia que me hubiera permitido conocerla más, sentirla más cerca. ¿Fue eso lo que me empujó a venir, no sólo el deseo de ayudarla, sino de, finalmente, conocerla, como si el viaje fuera una oportunidad que se nos ofrecía de forma excepcional? Amalia sigue siendo misteriosa para mí.

De regreso en Madrid, leo otra vez la carta del patinador. Como si fuera lo único que hubiera quedado de mi viaje a Nueva York. Fui yo quien encontró la carta olvidada entre las páginas de la Biblia, la carta que, por alguna razón, no llegó a enviar.

Pienso en el hotel de Chelsea, en el cuarto por el que pasamos los dos, él en verano, yo en invierno. En las risas inusitadamente alegres de los dueños del hotel. En sus silencios oscuros. En los rincones perdidos de Manhattan. En los extraños ruidos del exterior que de pronto irrumpen en los sueños.

«Me encontraba sumergido en un sueño especialmente agradable. Estaba patinando. A mi alrededor, todo estaba oscuro, totalmente oscuro. Pero mi rostro resplandecía como si tuviera luz propia. Patinaba muy despacio, sin hacer el mínimo esfuerzo. Me dejaba llevar. No tenía que hacer nada. Sólo estar allí. Flotaba. Mi cuerpo. Mi alma. Volaba. Cerré los ojos. Hay momentos en los que no hace falta mirar nada. Hay que cerrar los ojos. El placer me poseía, me desbordaba. Me deslizaba sin miedo, con una confianza absoluta, por una inacabable pista de hielo. De pronto, el alboroto del pasillo me ha sobresaltado.»

De vez en cuando, recibo noticias de Amalia. Casi siempre, a través de mi madre. Se ha separado de Billy. Vive con dos compañeras de trabajo. Sigue de dependienta en la sección de perfumería de Bloomingdale's, pero tiene otros planes, que van variando. No sé cuáles serán los últimos. No habla de regresar a España.

Yo sigo aferrada a mi rutina. No he vuelto a ver a Japi, ¿por dónde andará?

Sí, aún pienso en él.

13. MADRID

La mujer me enseña el cuarto, enumera las pequeñas reglas de la casa, fija el precio.

–Me parece bien.

–Llámame Mimí –dice.

Pero no sonríe. Nunca sonríe. Sin embargo, no es sombría. Parece contenta con la vida que lleva. Aunque no se abandona, aún tiene algo de lo que defenderse. Está contenta, pero un poco preocupada. Es seria.

El cuarto me gusta. Es de los pocos que dan a la calle. La zona noble de la casa y reestructurada para sacar más dormitorios. Puede que haya sido el comedor. La escayola que recorre los límites del techo y el plafón del centro hacen pensar en una gran lámpara pendiendo sobre una gran mesa. Aquí se han celebrado muchas comidas familiares.

La mujer me ha dicho que he tenido suerte. El cuarto acaba de quedarse libre. Ha establecido un mínimo de tiempo para el alquiler, seis meses. No le gustan los ajetreos. Por lo demás, apenas me ha hecho preguntas. Me quedé con las palabras en la boca, como si hubiera esperado que hablásemos un rato. El diálogo resultó excesivamente breve, casi brusco.

Me asomo a la ventana y recorro con la mirada la fachada de la casa de enfrente, un edificio más moderno que éste. Amplias terrazas con toldos de color verde. Algunas de ellas, acristaladas.

Poco a poco, me hago con el cuarto, con la calle, con las vidas atisbadas en la casa de enfrente, con la ciudad desconocida. Vivo un poco al margen de los otros habitantes de la casa. Al margen de Mimí. Es mejor así.

Salgo de casa con los patines al hombro, localizo las calles donde se puede patinar. Trazo las pautas de lo que será mi vida durante estos seis meses.

El sábado llego a casa de madrugada. Como es habitual en los fríos regresos del amanecer, me siento cansado, hastiado de salir tantas noches para nada, harto de mí y del mundo. Hastiado, un poco dolido.

La luz tibia y blanquecina del día ilumina débilmente las escaleras. No subo en el ascensor. Quiero sentirme más cansado aún. No se oye ningún ruido en la casa, de ordinario tan agitada por la actividad incesante de la cocinera y la asistenta y el trasiego de los inquilinos. Empujo la puerta de mi cuarto, que no cierro nunca con llave, y lanzo una mirada a la cama, aún en penumbra. Está ocupada.

–Soy Celia –dice una débil voz–. Perdona la invasión, pero no puedo dormir. Cuando me duermo, sólo tengo pesadillas. Es espantoso. Deja que me quede, Robe, no te molestaré.

Se aparta hacia el rincón, dejándome sitio.

Me echo a su lado e intento dormir, pero a veces el cansancio no me deja dormir, se convierte en un hormigueo que me recorre el cuerpo y que me hace pensar en mil cosas, una detrás de otra, como una noria.

¿Qué es lo que sé de Celia, la chica que duerme ahora a mi lado? Es menuda y silenciosa y no pregunta nada. Hay personas que siempre te están haciendo preguntas y personas que no preguntan nada. Se enteran como pueden de las historias de los demás, les bastan esos datos que se van dejando caer sin intención aparente. No se fijan tanto en los datos como en otra cosa. La forma en que se habla, en que se mira. Cosas menos tangibles, más reveladoras. Así es Celia, me parece. Yo también soy así.

Una tarde coincidimos en la cocina. Yo me estaba haciendo mi litro de té. La invité a una taza, nos sentamos a la mesa de madera, que huele a lejía. Me gusta ese olor. Celia me contó su drama. Es de un pueblo del norte. No ha venido a Madrid a estudiar. Ya tiene una carrera. ¿Derecho? Ha venido huyendo de un drama familiar. Celia tiene una hermana gemela. Teresa. Está muy enferma. Ha dejado de comer, tampoco duerme. El médico ha diagnosticado anorexia, pero no es fácil salir de ahí. Celia ha venido a Madrid porque no soporta ver a su hermana en ese estado. Ha sido por un mal de amor.

–No merece la pena –dice, mirando la taza llena de té–. No lo entiendo. Teresa no era así. Se comía el mundo, tenía a todos a sus pies. No se puede morir de amor, es absurdo.

Le doy la razón.

–El amor es lo opuesto a la muerte.

–Eso pienso yo.

Celia escribe cartas a su hermana, pero no las envía. Escribe porque necesita sentirse ligada a su hermana. Y verlo todo de lejos. Necesita frases para convertir la vida en algo más soportable.

Ésta es Celia, que duerme ahora a mi lado. Su respiración es acompasada y profunda.

¿Siento algo por Celia, algo más que interés? No hay forma de saberlo. Hasta que las cosas no ocurren, no puedo saber nada.

Me duermo al fin, con Celia acurrucada junto a mí, con el ritmo de su respiración casi dentro de mí. Me duermo acunado por su ritmo.

Me despierto a media tarde. Estoy solo. Demasiada luz en el cuarto. En el pasillo, me cruzo con Mimí, que arrastra una bolsa de tierra vegetal. Dice:

–Es para las macetas de la terraza. –Me mira, levemente pensativa–. Ya es verano –añade.

La ayudo con la bolsa.

–Esto está hecho un desastre –murmura, cuando llegamos a la terraza–. No sé qué me ha pasado este invierno, no he tenido tiempo para las plantas –se queja.

Se queda allí, dispuesta a trabajar todo el tiempo que haga falta. Necesita tener la terraza preparada para el verano, las tardes en la terraza son media vida, dice, siempre ha tenido la terraza llena de geranios, todos los veranos.

No puedo evitar pensar que el vestido que lleva

resulta inapropiado para la faena. Pero Mimí siempre lleva estos vestidos, ligeros, vaporosos, como sacados de un baúl, vestidos que quizá fueron confeccionados para asistir a fiestas de hace muchos años, que incluso han podido pertenecer a su madre.

La oigo trajinar durante toda la tarde. La oigo tararear una canción. Nunca la había oído cantar.

Me asomo a la terraza a última hora. Ha barrido y ha fregado. Ha apartado los tiestos vacíos y los tiestos rotos, las sillas y la mesa de hierro. Ahora parece una terraza mucho más grande.

–Mañana plantaré los esquejes –dice–. Nunca es tarde. Tendré que pintar las sillas, tienen mil años.

No veo a Celia en varios días. Resulta demasiado extraño no coincidir nunca con ella, y al fin le pregunto a Mimí.

–Se tuvo que ir al pueblo. Problemas familiares.

–¿La hermana?

–Eso creo. De todos modos, te voy a decir una cosa, Robe. No creas que no me doy cuenta de lo que pasa. No me gusta meterme en estas cosas, pero veo lo que veo. Celia es una chica muy especial, muy sensible. No juegues con ella. Si no te interesa, manténte alejado de ella. Puedes hacerle daño.

–¿Por qué dice eso?

–Vale, no he dicho nada. Los hombres estáis ciegos, eso es lo que pasa.

¿Está Celia enamorada de mí?, ¿eso es lo que ha intentado decirme Mimí?

–¿Por qué no me echas una mano con las plantas? He quedado en pasar a recogerlas esta tarde a casa de una vecina. Es en el portal de al lado, el ocho. Así las traigo todas a la vez.

Voy con Mimí a la calle. Salimos de nuestro portal y entramos en el siguiente. Del seis al ocho. Un trayecto muy corto. Me hago la ilusión de que la vecina es una mujer espectacular, una de esas mujeres que te cortan la respiración. No puedo evitar fantasear. Acompaño a Mimí a recoger las plantas con la absurda esperanza de que la vecina sea como una actriz. Ésta es la imagen que me empuja a hacer este breve recorrido: una mujer impresionante está al otro lado de la puerta abierta para nosotros. Me mira con sorpresa, con placer.

Naturalmente, no es así. La mujer que nos abre la puerta no es nada espectacular. Tiene el pelo teñido de rojo, es más bien baja, más bien gorda.

–¡Qué chico tan guapo! –le dice a Mimí, guiñándole un ojo–. No sé cómo te las arreglas, pero siempre te rodeas de los chicos más guapos. Pasad, pasad por aquí.

Percibo que Mimí se pone un poco más seria, más distante.

La mujer del pelo rojo nos conduce a la terraza, que está llena de plantas. Parece un invernadero, una tienda de plantas más que una parte de la casa. Hay tierra por el suelo.

–¿Has visto cómo tengo los geranios? Ya te he preparado unos tiestos pequeños. Hay que regarlos mucho, ya sabes. Y mucho sol, claro.

La mujer trae una caja de cartón y la va llenando de tiestos.

–No sé si va a pesar demasiado –dice Mimí, señalando la caja llena de tiestos.

–Pero este chico es muy fuerte, mira qué brazos tiene.

El sol cae con toda su fuerza sobre la terraza. Me inclino para coger la caja. Pesa demasiado, pero no digo nada. Cargo con ella y salgo de la terraza. Me conozco el camino a casa.

–¿Pero os vais ya?, ¿así, tan deprisa?, ¿no queréis un café?

–Otro día –dice Mimí.

Oigo besos sonoros a mis espaldas. He murmurado una frase de adiós.

–¡Qué mujer! –exclama Mimí en el ascensor, mientras se mira al espejo y trata de arreglarse el pelo.

De pronto, la vida da un giro inesperado. Veo a Mimí al otro lado del espejo y ya no sé quién es. Una mujer bellísima, encerrada conmigo en un ascensor, una mujer que emana una sexualidad envolvente, irresistible. Creo que me voy a marear.

Tengo las manos ocupadas, aferradas a la caja de cartón rebosante de plantas. No sé qué pasaría si tuviera las manos libres. Si suelto la caja, los tiestos se caerán al suelo y se producirá un pequeño desastre dentro del ascensor. Sigo sosteniendo la caja. Está pegada a mí, es parte de mi cuerpo, lo que se interpone entre la mujer que suspira mirándose al espejo y yo.

–¡Qué mujer!

Me gustaría preguntarle a Mimí qué quiere decir con eso, a qué mujer se refiere, porque ya estamos lejos de la vecina del ocho, la estamos olvidando a pasos agigantados. Hay algo debajo de esa exclamación, los dos lo sabemos.

Salimos del ascensor, recorremos el trecho de calle hasta nuestro portal, entramos en nuestro ascensor. Este trayecto, con el peso de las plantas en mis brazos, resulta interminable. Es una tortura y, a la vez, un placer indescriptible. Me gustaría que no acabara nunca. O que acabara como tendría que acabar. Las plantas, en el suelo, yo, en brazos de Mimí. No me atrevo a detenerme en esta imagen. Pero no puedo apartarla de mí. No puedo apartar los ojos del espejo donde de nuevo se está mirando Mimí.

Llegamos a casa. Llevo las plantas a la terraza. Mimí se inclina para sacar los tiestos de la caja. Se queda ahí un momento, inclinada, mostrándome el inicio de los pechos, presos en la tela ligera de la blusa.

–Ya está –dice–. Cuando caiga el sol, lo arreglaré todo.

Entramos en la casa a la vez. Nuestros cuerpos chocan entre sí. Me quedo pegado a su cuerpo. Una de mis manos se interna en su escote, avanza, abarca el pecho entero, un pecho breve, que cabe en mi mano. La otra mano no sé dónde está, ha bajado por el otro lado desde la cintura.

Oigo una risa lejana. Mis manos son devueltas a su dueño. Mi cuerpo sufre un empujón.

–Vamos, vamos –dice Mimí–. Hay muchas chicas jóvenes por aquí.

Desaparece, riéndose, moviendo la cabeza hacia los lados. Es la primera vez que la he visto reír.

Me siento como un imbécil. He sido rechazado,

pero ¿no sería mejor insistir? La puerta del cuarto de Mimí está cerrada y he oído el ruido metálico del pestillo.

Pasan unos días en que no veo a nadie. No sé si soy yo quien evita a los otros o son los otros los que me evitan a mí. Sobre todo, Mimí. Tengo que quitármela de la cabeza.

Pienso en su vida. Se quedó viuda muy joven y arregló la casa para poder alquilar las habitaciones. Al parecer, tiene novio, aunque las relaciones están pasando por un momento difícil. Aún no he visto a ese hombre, aunque su nombre se pronuncia frecuentemente, como si todos los inquilinos estuvieran muy familiarizados con él. ¿Y Morales?, preguntan. O dicen: Esto le gustaría a Morales, esto es típico de Morales. Trabaja en un banco, no sé en qué puesto, y vive en un hotel, tampoco sé de qué categoría. Puede que Mimí recele de que ese hombre busque vivir gratis en su casa. Vivir a costa de ella, finalmente. Casi todos los domingos, vienen la madre y los hermanos de Mimí a pasar la tarde. Tienen buena pinta. Vienen con niños pequeños, que se cuelan por todos los cuartos. Cuando se van, Mimí suspira. No sé si por el cansancio que le produce su familia o por nostalgia de no vivir con ellos. Nostalgia de otra vida, aunque haya decidido vivir ésta.

Mimí no tiene nada que ver conmigo. No sólo me lleva muchos años, quién sabe cuántos, más de veinte, sin duda, sino que su vida está perfectamente hecha. Éste es su mundo, en el que yo estoy de paso.

Ha estallado el verano. Tiempo de exámenes. La casa se ha llenado de música. Música distinta en cada cuarto. Yo pongo continuamente la colección de jazz que me he comprado. Normalmente, ni siquiera paso del primer cedé. No me canso de escuchar a Bessie Smith, Louis Armstrong, Billie Holliday, Duke Ellington, Ella Fitzgerald, Thelonious Monk, Dizzy Gillespie, Miles Davis..., ¿para qué variar? Sé perfectamente qué canción sigue a otra y siento un pequeño estremecimiento de placer cuando suenan los primeros acordes. Sí, era ésa. Billie, claro.

Vuelvo de la facultad al caer de la tarde. Oigo voces en la terraza. La voz de Mimí. La voz de Celia, quizá. La voz de un hombre.

Hay una botella de vino sobre la mesa. La ha debido de traer el chico que está sentado entre Mimí y Celia. Mimí me dice que coja una copa y me sirva vino, si quiero. Percibo, por la naturalidad con que me lo dice, que ya hemos hecho las paces. El orden ha sido restablecido.

Le doy dos besos a Celia, pero ella apenas me mira. Me presenta al chico. No sé si tiene con ella alguna relación de parentesco, pero pienso que sí. Hablan con el mismo acento, de la misma manera. Creo entender que el chico ha encontrado trabajo en un estudio de arquitectura o algo así. No va a ganar mucho dinero, ojalá le alcanzara para pagar la habitación.

Mimí prefiere estudiantes, dice. Jóvenes que vienen y van. Le gusta la rutina del curso, las conversaciones sobre profesores y asignaturas, el ritmo que imponen los exámenes. Se ha acostumbrado al ambiente estudiantil. Ya tiene muchas opiniones sobre este pequeño universo. Pero ya no vienen tantos estudiantes de fuera de Madrid, dice. Extranjeros sí, pero ella prefería estudiantes de provincias. Habla de todo esto como si se refiriera a una vida antigua que está a punto de desaparecer.

Dejo esta conversación a mis espaldas y me asomo a la calle. Siento ahí, a mis espaldas, la vida de Mimí. Esa vida de la que no formo parte. Soy un estudiante más, un huésped que de pronto se irá, se esfumará. Ya no me importa.

Me viene, quizá desde una terraza recién regada, una vaharada de humedad. Como si la calle, en lugar de esconder bajo el asfalto los viejos raíles del tranvía, guardara un río en su seno. El Hudson. Es el mismo olor, como si este verano fuera aún el verano pasado. Como si no existieran más que los veranos y el resto del tiempo no contara, porque va muy deprisa, huye, no se sabe hacia dónde. Desaparece. En cambio, los veranos permanecen.

El olor del Hudson y el olor del hotel de Chelsea, la perenne y susurrante conversación de los dueños, sentados a la puerta en sillas de plástico, de espaldas al río. Oigo sus risas en la noche, veo las volutas de humo que se alzan de sus cigarrillos siempre encendidos. El olor del tenebroso pasillo por donde espero cruzarme con Jane. Jane. De pronto, ha estado aquí. He sentido su presencia como si aún me estuviera preguntando qué hizo que envejeciera tan deprisa. Estamos allí, moviéndonos perezosamente por el pasillo del hotel, a la espera de no se sabe qué. Yo, al acecho. Al acecho de todo. Ella, ausente. Las puertas abiertas debido al calor.

¿Qué tiene que ver Jane con Mimí, con Celia? Nada. Sólo este calor, sólo la sensación de tiempo detenido, de estar en una ciudad que no conozco, perdido, asomado, en busca de algo, a la espera de algo. Como si nada dependiera de mí.

Mimí nos ha dado permiso para estudiar por las noches en la terraza.

–Así las cosas son más agradables –ha dicho.

Los inquilinos nos encontramos continuamente en la cocina para preparar café o té helado con limón. Yo no tengo mucho que estudiar, pero me he adaptado al ritmo nocturno. Me pregunto si los demás hacen lo mismo por no defraudar a Mimí, que se pasa el día diciendo lo mucho que tenemos que estudiar.

Ahora me cruzo muchas veces con ella por todos los rincones de la casa. En una ocasión vi sus ojos en el espejo. Estaba detenida, al final del pasillo. Tenía los ojos allí, perdidos. Toda ella parecía perdida. En cuanto me vio, apartó los ojos del espejo y se puso en movimiento.

Estoy solo en la terraza con Celia. Son las dos de la madrugada. Celia está haciendo un trabajo que debe presentar para que le den no sé qué título o diploma. Acaba de marcharse uno de los estudiantes. Hasta ahora, el silencio ha sido completo. En la terraza no se permite música. Sólo se oye el rasgar del lápiz sobre el papel, el sonido de la hoja del libro al ser pasada de un lado a otro, toses breves, algún suspiro.

–¿Qué tal tu hermana? –le pregunto.

–Al menos, ya hay una persona que ha tomado el mando –dice–. Mi madre estaba completamente desbordada. No sabía a quién acudir. El médico también se sentía impotente. No sé cómo, pero una señora del pueblo lo supo, una señora muy rica, de una familia muy poderosa, ya sabes, muy influyente. Ella se ha hecho cargo de todo. Llamó a otro médico, que aconsejó un régimen muy estricto y mucha vigilancia. El caso es que ha instalado a mi hermana en su casa, siempre con una enfermera a su lado, y ella lo inspecciona todo de cerca. Los Salcedo tienen esta tradición, no sólo la de ser ricos, sino la de ayudar a los necesitados, lo que antes se llamaba caridad. Bueno, no sé, a lo mejor es que mi hermana le cae bien. Teresa le cae bien a todo el mundo. No se parece nada a mí, somos completamente distintas.

–Tú también le caes bien a la gente, Celia.

–A mí eso me da igual.

Mimí se equivoca. Celia no está enamorada de mí. Desde que ha regresado del pueblo, apenas me mira. Me necesitaba cuando se sentía mal, pero ahora parece liberada. Ha decidido romper amarras, seguir su propio camino.

–Si no me surge nada mejor –dice, medio riéndose–, el año que viene voy a trabajar en un bar. Así están las cosas, una licenciada y con diplomas en cursos especiales, y trabajando en un bar.

–Un lujo.

–¿Y tú?, ¿qué piensas hacer?

–Ni idea.

Celia se levanta, se apoya en la balaustrada, mira hacia la casa de enfrente.

–Es curioso, ¿verdad?, todos los que hemos venido a parar aquí. A lo mejor no nos volvemos a ver en la vida, pero ahora somos como una familia, ¡qué extraño!

–Siempre es así.

Me levanto y me apoyo, yo también, en la balaustrada.

–¿Te acuerdas del chico que vino el otro día?, ¿qué te pareció?

–Simpático, aunque no me fijé mucho, la verdad.

–No sé qué pensar, es un poco raro. De pequeños, éramos muy amigos. Pero hacía años que no nos veíamos y, de pronto, se presenta y me dice que si quiero vivir con él. Si no tiene sitio aquí, podemos alquilar algo juntos, me ha dicho. Pero con todo lo que eso supone, es decir, compartir cuarto y cama, todo, ¿crees que eso es normal?, ¿que se puede ir por ahí proponiendo cosas así?

–Estará enamorado de ti, será su forma de decírtelo.

–No lo creo. Me parece que está un poco loco. No sé, como si le faltara algo. Me da un poco de miedo.

Celia me mira desde la oscuridad y de pronto siento algo, la necesidad de protegerla. Que no le hagan daño. Mi brazo se alza de forma casi inconsciente y rodea sus hombros, acerca su cara hacia la mía. Mis labios encuentran los suyos.

Suspendido en medio del verano, me pregunto a ratos, vagamente, por dónde tiraré cuando el calor se acabe. Al atardecer, me voy con los patines a la Castellana, donde ya he hecho algunos amigos. Vuelvo a casa andando. Me siento en la terraza de un bar. Miro a mi alrededor. Siempre hay una mujer a quien desear. Casi siempre, está acompañada.

Me fijo ahora en una mujer que está sentada unas mesas más allá de la mía. La acompaña otra mujer, que me da la espalda, y un hombre que tiene un perro pequeño en el regazo. ¿De qué me suena esta mujer? Tengo la sensación de que la conozco, de que la he visto en otra parte, quizá con otro hombre.

Me levanto y paso muy cerca de ella. Su mirada se queda dentro de mí. Como si los dos supiéramos que estamos ligados por algo, que alguna vez pasará algo entre nosotros.

Vuelvo la cabeza hacia la otra mujer, a quien antes no podía ver. Está sonriendo, ¡me está sonriendo a mí! Al principio, no la reconozco. ¡Es Mimí!

Me hace una señal con la mano, invitándome a sentarme con ellos.

–Es Robe –dice, a modo de presentación–. Vive en casa.

Dentro aún de la incredulidad que me invade a causa de la repentina transformación de Mimí –no es sólo por la sonrisa, no sé exactamente por qué es, por el vestido, por el peinado, no lo sé, pero parece diez años más joven–, me siento a su lado. Entre Mimí y el hombre del perro.

La mujer que está sentada enfrente de mí aún sigue envolviéndome con su mirada. El hombre del perro me ha estrechado la mano. ¿De qué va esto?, ¿será este hombre el novio de Mimí?, ¿serán, por el contrario, ellos, la mujer que me mira y el hombre del perro, los novios, los amantes, o incluso matrimonio, y Mimí simplemente una amiga?

Miro a Mimí, como si pudiera explicarme algo. Pero ella ha perdido la mirada en los árboles del paseo. Es la hora en que los pájaros arman un gran alboroto, antes de recogerse en sus nidos.

Estoy atento a todas las conversaciones que se producen a mi alrededor, no sólo en mi mesa, de la que ahora Mimí parece ausente, sino en las otras. Ráfagas de conversaciones, quejas sobre la vida, risas.

–Mimí –dice la mujer–, ¿cuándo nos invitas a tu terraza?, ¡qué bien lo pasamos en tu fiesta el año pasado!

Mimí vuelve del lugar perdido donde se encontraba. Por un instante, nuestras miradas se cruzan y los dos las sostenemos un poco, una décima, dos décimas, de segundo.

–Deberías organizar una fiesta de disfraces –dice el hombre del perro–. Una fiesta de disfraces en verano. Siempre son en invierno, no sé por qué.

–Es la tradición, tiene algo que ver con la cuaresma –dice la mujer.

–No me habléis de cuaresmas –dice el hombre, haciendo un gesto con la mano, como para ahuyentar todas las cuaresmas habidas y por haber.

–¿Más cerveza? –pregunto.

Ha sido mi única intervención. Todos dicen que sí. Entro en el bar y encargo las cervezas. Bajo al servicio, me miro en el espejo del cuarto de baño. ¿Y si me marchara, si desapareciera sin más ni más, sin despedirme? Hay gente que lo hace, personas excéntricas de las que los demás dicen: Bueno, es así, no hay que tenerlo en cuenta.

Desde la puerta del bar, les miro. Miro a mi grupo. Ya han llegado las cervezas, ¿cómo dejar mi cerveza, sin consumir, sobre la mesa? Me la bebo de golpe, de pie, le digo a Mimí que luego le pagaré mi parte, que ahora no tengo dinero. Me despido.

–Estás invitado, Robe –dice el hombre del perro.

14. ESPIONAJE

La voz monótona de mi madre llena la sala. Aunque lo cierto es que no la llena. Es una voz sin fluctuaciones, una cantinela interminable, una especie de sonido de fondo, un rumor sordo. Habla y habla y no la escucha nadie. Estamos solas. La única persona que la podría escuchar soy yo, y no la escucho. Sólo la miro. Está ahí, y la miro de vez en cuando.

–La mujer del portero –dice ahora–, ¡qué chica más agradable! Siempre me saluda y me pregunta qué tal estoy. Me ayuda a subir las escaleras del portal, me acompaña hasta el ascensor y se queda conmigo hasta que llega. Es muy cariñosa. Y mira que tiene buen gusto, tiene algo, no sé, algo especial. Hoy llevaba puesta una chaqueta de astracán, me ha parecido, no sé si será de imitación, yo ya no distingo las cosas. ¿Te acuerdas de mi abrigo de astracán?, no sé adónde fue a parar. Creo que lo di, no me acuerdo a quién. A Carmela, quizá. No me acuerdo. Te hubieras podido hacer una chaqueta con él como la que se ha hecho esa chica, la mujer del portero. Una pena. Bueno, da igual.

Sí, de vez en cuando se me cuelan, en mi atención distraída, unas frases de mi madre, algo que me hace pensar, una vez más, en lo diferentes que somos. Yo apenas conozco a la mujer del portero. Creo que no he hablado nunca con ella. No podría decir cómo es. Estos porteros son nuevos, no llevan en la casa mucho tiempo. Pero mi madre se fija en estas cosas, se fija en las personas.

La mujer del portero desaparece y ahora mi madre habla un poco de Carmela, ya que la ha mencionado. No puede pasarla por alto. Recuerda sus bondades y sus manías. Y de Carmela, que trabajó en casa más de diez años, pasa a Sonsoles, la mujer de mi hermano Luis, y luego a Macarena, la mujer de Pedro. Naturalmente, habla también de los nietos. Intercala anécdotas de sus nietos aquí y allá. ¿Cómo es que mi madre sabe tantas cosas de las personas? Habla con todo el mundo y les hace preguntas, asiente, comprensiva. Hasta creo que les da algún consejo, siempre cosas del tipo «No hay que preocuparse», «Qué se le va a hacer», «La vida sigue».

La vida sigue y ella se aferra a los domingos. Venir a verme es un acontecimiento para ella. Eso dice. Me llama el sábado al mediodía:

–¿Estarás mañana en casa, hija mía? Iré a verte, si te viene bien.

No sé qué pasaría si alguna vez le dijera que no, que no me viene bien, que tengo otros planes. Pero

¿qué puedo hacer una tarde de domingo que no pueda hacer otra tarde cualquiera de la semana?

¿Qué piensa mi madre de mi vida? Por alguna razón, no me la imagino hablando de mí a los demás. Puede que lo haga, pero no me la imagino. Creo que me ha convertido en una especie de receptor seguro. Siento que, sobre todas las cosas, esto es lo que soy para ella, su receptor. El único que tiene, el único seguro. Las demás personas vienen y van. Yo estoy siempre ahí. Y eso es lo que me pide cada vez que me llama y me pregunta si estaré en casa, me pide que siga ahí, que le diga que no tengo nada que hacer, que me viene muy bien que venga, desde luego, que la estaré esperando, como todos los domingos, ¿es tanto?

Voy todos los domingos a casa de mi hija, dice mi madre a sus conocidos. Es como si la pudiera oír. Conozco el tono de su voz cuando lo dice. Ya no es el tono monótono que tiene ahora. Es el tono que se emplea para hablar de los planes que tenemos y que siempre provoca en los demás un poco de envidia.

Aparto la mirada de mi madre. Me miro en el espejo del aparador. Si mi madre lo sabe todo de mí, yo no sé nada. ¿Qué es lo que sabe ella en realidad? Unas veces, creo que aún soy para ella la hija que acaba de casarse, o la hija que ha tenido la desgracia de quedarse viuda y que quizá vuelva a casa. Aún me mira así, como si ella tuviera la solución de mi vida. Otras veces, descubro en el fondo de sus ojos una especie de extrañamiento, de asombro. Resulta que ya soy una mujer madura, una mujer independiente, y que me gano la vida a mi modo. De vez cuando, hace algún comentario sobre esto.

–Ay, muy bien, hija mía, hiciste muy bien en alquilar habitaciones. Esta casa es muy grande para ti.

A ella le preocupa más la soledad que el dinero. Como si las dos cosas no tuvieran nada que ver. Pero el dinero siempre ha sido un enigma para ella. Sabe que tiene el suficiente para vivir. No le sobra, no necesita más. No le gusta pensar en el dinero. Sin embargo, cuando me mira después de decirme cosas así, cosas que se refieren a mi casa y a las habitaciones alquiladas, veo el brillo de esa intuición en sus ojos: sabe que el dinero está por debajo de esto.

Mi madre, al fin, se va.

–Qué bien lo he pasado, hija mía. Te llamaré mañana.

La casa se ha quedado repentinamente vacía.

Mi madre, que se acaba de marchar, ya está lejos.

Pienso en ella como era antes. Mi madre dentro de casa, sentada en su butaca del cuarto de estar, con la mirada fija en un punto invisible, remoto, que no pertenece a nadie, que está fuera del mundo.

Sorprendo a mi madre así, en esta postura, con esta expresión, muchas veces. Hasta que no estoy a su lado, no me ve, está tan abstraída, tan vinculada a ese punto invisible, que le cuesta mirar a su alrededor y verme. Me mira un rato sin verme y al fin me ve. Hay sorpresa en sus ojos, como si ya no contara con eso, con verme.

Ese último gesto de mi madre no le pertenece del todo. Está por encima de ella, por encima de mí. Es un gesto universal, un gesto que se desprende de ella y que llega hasta aquí casi con más fuerza que cuando surgió.

Oigo ruidos que vienen de muy lejos, desde la puerta de la calle, quizá de las escaleras. No tengo ganas de hablar con nadie, así que me refugio en mi cuarto. La tarde del domingo ya ha concluido y mi vida sale de su paréntesis. Los inquilinos irán llegando. Como es domingo, no tengo ninguna responsabilidad con ellos. Me echo sobre la cama. No tengo ganas de ver a nadie, a ninguna de las personas que pronto llenarán la casa. No tengo mucho que ver con ellas. Me contarán lo que han hecho, si han ido al cine o han pasado el día con amigos, con novios y novias. No quiero saber nada. No tengo nada que decirles. Sólo podría decir una cosa, y me la digo a mí, ¿qué hago aquí, en mi cuarto, dejando pasar un día más de mi vida? Me pesa el día recién finalizado, me pesa como si no fuera sólo un día, como si fueran años.

El teléfono no ha sonado en toda la tarde.

¿Adónde iría, si saliera a la calle?

Suena el timbre de la puerta. Un timbrazo nervioso, impaciente.

Me levanto de un salto de la cama, me arreglo un poco el pelo, ¿quién será?, ¿alguien que se ha dejado las llaves en casa?

Es la mujer del portero. Nunca me acuerdo de su nombre.

–Siento molestarla –dice, con una fugaz sonrisa–. Es que he oído unos ruidos muy raros, como de agua cayendo. Estoy sola. Eloy está en el pueblo con los niños. Estoy preguntando a los vecinos si han dejado algún grifo abierto.

Le digo que estoy segura de que todos los grifos están cerrados. La invito a pasar. Podemos comprobarlo juntas.

Recorremos la casa, los cuartos donde hay grifos, la cocina y los baños. Todos están perfectamente cerrados.

–El problema es que en algunos pisos no hay nadie –dice la mujer–. Es domingo, ya sabe. Claro que yo tengo las llaves, pero, no sé, eso de entrar en una casa vacía, a mí no me gusta. No sé a qué hora llegará Eloy.

Me mira, detenida junto a la puerta, indecisa.

–¿Oye usted el ruido?

Nos quedamos calladas, atentas. Al principio, no se oye nada, pero, de pronto, lo distingo. Un ruido sordo, como si fuera un río, una corriente subterránea.

–Ya lo oigo, es muy extraño.

–Está muy cerca de aquí.

Abro la puerta y salimos al descansillo. La mujer del portero se acerca a la puerta de enfrente, pega el oído.

–Creo que el ruido viene de aquí, de la casa de don Florencio Campos –murmura–. Ya he llamado antes. Me parece que no hay nadie, aunque es muy raro, este señor no sale por las noches, y, desde luego, no está de viaje, lo vi ayer. No me dijo nada, me saludó como siempre.

Me acerco a la puerta de la izquierda. El agua fluye al otro lado. No hay ningún otro ruido. El piso está vacío.

Para asegurarse, la mujer del portero pulsa el timbre. Lo oímos sonar, unido al sonido del agua que fluye.

–No tengo más remedio que entrar –dice–. Voy a buscar la llave.

Ni siquiera me ha pedido que la espere, lo ha dado por sentado. La luz de las escaleras se apaga y la vuelvo a encender. Dos veces. El ascensor sube, se diría que con esfuerzo, lentamente. Cada piso es un obstáculo que al fin vence, gimiendo, protestando. La mujer sale del ascensor y me enseña el manojo de llaves.

–Creo que es ésta –dice.

Podría marcharme, despedirme de ella y entrar en mi piso, ¿por qué cree que la voy a acompañar? Me mira con complicidad mientras hace girar la llave dentro de la cerradura. La puerta se abre.

–¡Ay, Dios mío! –exclama, aún a este lado.

Está tan pálida que creo que se va a desmayar. La empujo levemente hacia el interior de la casa. El sonido del agua es ahora más fuerte.

El pasillo está inundado. Encontramos el grifo abierto –sin cerrar del todo– en lo que se supone que es el lavabo de servicio. Hay ropa en remojo –¡en mucho remojo!–, el lavabo se ha desbordado. La mujer cierra el grifo, quita el tapón.

–¡Hemos llegado a tiempo!, no sé qué hubiera hecho sin usted, me daba miedo entrar, hasta pensé que el señor estaba muerto, ya sabe, se piensan esas cosas.

Está tan aliviada que se echa a reír.

–Tenía que pasar justo hoy, que estoy sola. Yo no valgo para estas cosas.

¿Qué hacemos con toda esta agua que llena la casa? Hay dos opciones, o llamar a alguien –no sabemos a quién, ¿al seguro?, ¿qué seguro?, ¿a su marido, allí donde esté, para que nos oriente?– o recogerla nosotras.

–¿Cree usted que podemos hacerlo las dos solas? –me pregunta.

Inspeccionamos la casa, nos hacemos con fregonas, con cubos y barreños, con bayetas.

–El agua no ha empapado el piso –digo–. Si no, habrían protestado los de abajo.

–Abajo no hay nadie. Viven dos hermanas mayores, pero han salido. Aún no han vuelto. Si tienen agua, que se las arreglen. Yo no pienso ocuparme de eso. Son insoportables, siempre se están quejando de todo. Además, ya no se puede hacer nada. Sólo recoger el agua. El grifo ya está cerrado. No puede hacerse nada más.

En ese momento, suena el teléfono en el piso de abajo. Suena largo rato.

–No me gusta nada esta sensación –dice–. La verdad es que soy muy miedosa.

Encendemos todas las luces de la casa. El agua ha desbordado la zona de servicio y avanza por el pasillo, pero no ha entrado en los otros cuartos. Ponemos un cartel en la puerta: ¡Inundación! ¡Estamos recogiendo el agua! Esto ha sido idea mía, yo misma he buscado papel, un rotulador y una chincheta. No vaya a ser que de pronto vuelva el dueño y nos demos todos un buen susto. Palmira –ahora sé que se llama así, ese nombre que nunca consigo recordar– se ha arremangado los pantalones y se ha descalzado, yo me he quitado las medias y me he subido la falda. También estoy descalza.

¿Cuánto tiempo nos lleva? Ni siquiera miramos el reloj. Vaciamos cubos y cubos de agua, escurrimos mil veces las bayetas de las fregonas.

–La verdad es que Eloy no viene hasta mañana por la mañana –dice Palmira–. No le voy a llamar, no quiero que se preocupe, es demasiado cumplidor. Si viera lo que ha pasado, se pondría enfermo.

–¿No me ha dicho antes que venía esta noche?

–Sí, pero no, no viene hasta mañana.

No da más explicaciones. Ignoro por qué me habrá mentido.

–Lo que le pasa a Eloy es que es demasiado bueno –dice, como si eso lo explicara todo.

De tanto ir de un lado para otro, acabo por familiarizarme con la casa. No es exactamente igual a la mía. Hay muchos cuartos. Es evidente que ahora no se utilizan todos. No deja de ser curioso estar al fin en el piso de los Campos, en el que no he entrado nunca. Aún recuerdo lo mucho que me intrigaba cuando vine a vivir a esta casa. Me atraía el bullicio que se presentía al otro lado de la puerta. Envidiaba a los habitantes de ese piso. Pensaba que allí no existía el aburrimiento ni el vacío. Creo que luego alquilé habitaciones en mi casa para eso, para no estar nunca sola. No sólo por dinero, sino para tener la casa llena.

–Aquí vivía una familia numerosa –le digo a Palmira.

–Sí, el señor tiene muchos hijos, aunque yo no soy capaz de distinguirlos, se parecen mucho entre sí.

Yo creo que no vienen mucho a ver al padre. Las hijas son todas iguales. La señora murió hace dos años, justo cuando nosotros empezamos a trabajar. Era una señora muy simpática, me daba ropa para los niños, y también para mí.

Palmira se aleja. La oigo canturrear. Se lo está pasando bien.

De todas las personas que vivían en este piso y que se escondían de mi vista tras la puerta en la que acabo de clavar el cartel, sólo queda el padre, ahora evaporado. Tantos como eran, y sólo queda el padre. Pienso, sobre todo, en los cinco chicos, si es que eran cinco. Cada vez que me cruzaba con ellos, se me quedaban mirando. Todos. Eran unas miradas largas, casi provocadoras, en el límite de la provocación. Debe de ser porque son de familia numerosa, me decía yo. Cuando has crecido en una familia numerosa, no te andas con muchos miramientos.

No sólo me miraban, me seguían por la calle. No todos. Uno de ellos, creo que era siempre el mismo, me seguía un trecho cuando yo salía a hacer la compra. Lo sentía a mis espaldas, esperando a que yo me diera la vuelta, como si ésa fuera la señal que necesitaba para poder decirme lo que me tenía que decir. Nunca me di la vuelta. Tenía que esforzarme para no darla. Los vecinos eran adolescentes cuando, recién casada, vine a vivir aquí. Eran jóvenes cuando me quedé viuda. Aún vivían todos en la casa.

Busco sus caras entre las innumerables fotografías enmarcadas que hay en el cuarto de estar, pero no las encuentro. O quizás es que no les reconozco. Sin embargo, hay una fotografía que me llama la atención. Dos chicos, dos adolescentes, vestidos de domingo, árboles de fondo, hierba bajo sus pies. Sostienen sendos cigarrillos. Uno de ellos, muy guapo, mira a la cámara, me mira a mí. Es como si les conociera de algo, ¿de qué? Dado el momento en que debió de sacarse esta fotografía, ahora no será un chico, ni mucho menos. Siento una especie de sobresalto. Estos ojos ya me han mirado otra vez, muchas veces. Son los ojos de Julián Morales. Desde la última pelea, no he tenido noticias suyas. Este chico podría ser su padre o su tío, ¡qué extraña casualidad! Aunque puede que sólo sea un simple parecido, algo que me ha traído de pronto el recuerdo de Julián como si fuera un aviso en esta lenta tarde de domingo: Julián sigue existiendo, no debo dejar que se aleje demasiado.

–El señor era fotógrafo –dice Palmira, a mi lado.

–Ya veo.

–Bueno, ya hemos terminado, parece mentira.

Palmira, con un suspiro de alivio, se deja caer sobre uno de los sillones, junto a la chimenea. Sucia como está, la ropa mojada, los pantalones arremangados, descalza, desgreñada. Y yo, sin poderlo evitar, me dejo también caer sobre el otro sillón.

–Si no llega a ser por usted, no sé qué habría pasado –dice–. Por eso fui a verla, la verdad. Pensé que era la única persona de la casa capaz de ayudarme. Se lo puedo decir ahora, Mimí, ha ido a su casa con esa intención.

Palmira sonríe, disculpándose. Por haber acudido a mi puerta, por estar llamándome así, Mimí, a secas.

Por estar las dos ahí, sucias y desgreñadas, en una casa ajena, sentadas en los grandes sillones. Ya está olvidado todo lo que hemos hecho. El caso es éste: esta casa no es nuestra.

Al fin, nos levantamos. Llevamos a la cocina los cubos, las fregonas, las balletas. Lo recogemos todo.

–Tenga –dice Palmira, ofreciéndome una copa de coñac–. Le sentará bien.

No sé de dónde la ha sacado. No sé en qué momento la ha llenado. Es coñac francés. Ella también se lleva una copa a los labios.

Palmira limpia las copas en el fregadero. Está borrando las huellas.

–¿Sabe una cosa, Palmira?, me gustaría tomar un poco más de este licor. Estoy muy cansada. Quiero caer en la cama y dormirme de golpe.

Palmira me mira un poco sorprendida. Sonríe. Se va y vuelve con la botella de armagnac en la mano. Llena las dos copas de nuevo.

–A su salud, Mimí –dice, haciendo chocar su copa con la mía–. Y gracias, muchas gracias por haberme ayudado. No sé qué hubiera hecho sin usted.

–Hemos evitado una catástrofe.

Tomamos otra copa más. De hecho, terminamos la botella –¡no quedaba tanto!– que Palmira guarda en una bolsa de plástico que se cuelga del brazo para tirarla en su propio cubo de la basura o quizá en el contenedor para el vidrio, imagino.

La despido frente al ascensor, que ha subido, renqueante, con sus habituales esfuerzos. Voy directa a mi cuarto. Creo que ya hay gente en casa.

Por la mañana, me encuentro con Eloy, que me da las gracias por haber ayudado a su mujer.

–Tiene fiebre –dice–. Yo creo que es cosa de los nervios. Por una vez que me voy, y pasa esto. La pobre se asustó mucho. A ella no le gusta la portería, éste no es su mundo. Tiene unas manos prodigiosas, para eso es para lo que vale, para coser. No se imagina las cosas que hace. Ésa es su ilusión, poner una de esas tiendas de arreglos de ropa. No sabe lo que le agradecemos su ayuda.

¿Es demasiado bueno este hombre? Me mira con los ojos muy abiertos, unos ojos donde no hay resquicio de malicia. ¿Engaña Palmira a su marido?, es uno de esos presentimientos que andan por el aire y que de pronto se posan ahí, en el corazón. Pero ¿qué me importa a mí? No es asunto mío.

Por mi parte, no comento los sucesos del domingo con nadie.

La nueva faceta de Palmira, sus manos prodigiosas, su proyecto de poner una tienda de arreglos de ropa, me hacen pensar en Escarlata O'Hara vestida del terciopelo verde de las cortinas de su casa cuando va a visitar a Rett Butler con el objeto de pedirle dinero, incluso encuentro cierto parecido entre Palmira y Vivian Leight. Comparten la misma mirada ávida, ambiciosa.

Es domingo otra vez. Por la mañana. Llaman a la puerta. Me encuentro con un hombre maduro, guapo. ¿Le conozco de algo? Conozco sus ojos, su mirada.

–¿No se acuerda de mí? Soy su viejo vecino, Ignacio Campos.

El que me seguía por la calle.

–Tengo que agradecerle que entrara en casa el domingo pasado y que ayudara a la mujer del portero a recoger el agua. La única vez que mi padre pasa un día fuera de casa y ocurre una cosa así. Lucía, la chica que le cuida, se puso enferma y mi hermana Blanca vino a buscar a mi padre. Es muy mayor, no está bien de la cabeza, no nos atrevemos a dejarlo solo. Pero Lucía se dejó un grifo abierto, ¡vaya desastre! No sé cómo agradecérselo.

–No me llames de usted –le digo–. Pasa.

Ignacio Campos habla a mis espaldas mientras recorremos el pasillo.

–Esa mujer, la mujer del portero, no sé cómo se llama, mi madre la quería mucho. Hemos sabido, después de morir mi madre, que le regalaba muchas cosas, algunas de valor, abrigos de piel, joyas, bolsos sin estrenar. Mi madre se compraba muchas cosas, pero las guardaba enseguida en el armario, sin enseñárselas a nadie, y las iba sacando cuando le apetecía. Supongo que algunas de estas cosas se convertían luego en regalos. Fue mi hermana Mar quien lo descubrió. Bueno, no pasa nada. La misma Mar dice que seguramente eso tiene un sentido, quién sabe. Naturalmente, ya no puede hacerse nada, no se le puede pedir a esta mujer que devuelva los regalos. A fin de cuentas, fue la voluntad de mi madre. Lo cierto es que es una mujer muy agradable. Incluso atractiva, diría yo.

Estoy a punto de volverme y de decirle a Ignacio que mi madre también siente debilidad por Palmira, decirle que es curiosa esta semejanza entre nuestras madres, pero no sé adónde nos llevaría una conversación así. Quizá a indagar en la personalidad de nuestras madres, en lo que representamos los hijos –¡y las hijas!– para ellas, en cómo miran nuestras madres a los demás, a quienes no somos sus hijos. A lo mejor con más libertad.

Ya en la sala, le ofrezco a mi viejo vecino algo de beber. Le pido que se siente. Pero él se queda de pie, repentinamente mudo, pensativo.

–Bueno –dice al fin–, tomaré una cerveza.

Sigue de pie cuando vuelvo con la cerveza. Se la bebe de un trago, se sienta y empieza a hablar.

Dice, casi sin mirarme, de un tirón, como si fuera un discurso que tuviera preparado, que los domingos por la tarde va a ver el partido, lo hace siempre, y que luego se suele tomar una copa en un bar, unas veces con amigos y otras solo, y que hoy aún no ha quedado con nadie. Me da el nombre del bar, me explica dónde está, en qué calle y a qué altura, enfrente de una gasolinera. Dice que me estará esperando allí, que le gustaría que nos viéramos un rato, si no tengo otra cosa que hacer.

No sé qué decirle. Al principio, ni siquiera le he entendido. El partido de fútbol, me he dicho enseguida, a ese partido se refiere. No le digo nada. Sí, incoherencias.

–Te estaré esperando allí –repite, en la puerta.

Al mediodía, llamo a mi madre. Le digo que me ha llamado no sé qué amiga con no sé qué problema. Me hago un lío. En fin, que esta tarde no, no puede venir a casa.

–No te preocupes, hija mía, hoy estoy muy cansada. Me quedaré aquí tranquilamente. A lo mejor tengo la gripe.

Desgraciadamente, no me quedo tranquila, ¡no me quedo tranquila!, ¡qué desgracia!

A media tarde, me arreglo y voy a ver a mi madre. Es verdad que parece cansada, quizá tenga la gripe.

–Qué bien que hayas venido, hija mía.

Mi madre me mira complacida, me dice que le gusta la blusa que llevo, los zapatos, todo. Son cosas que mi madre dice siempre, pero hoy, ahora, me fijo en sus palabras como si fueran profundamente ciertas. Todo esto tiene un propósito, y ella lo sabe.

Mi madre dice que no encuentra nada, que se ha pasado la mañana buscando cosas que ha perdido.

–¿Te acuerdas de aquel anillo que tenía, el de los rubíes, el que hacía ese dibujo geométrico, estilo Chevalier? Así es como se llaman esos anillos, me parece, Chevalier. Lo compré en la joyería de Joaquín Palacios, ya sabes, esa tienda tan pequeña, cerca de la Plaza Mayor, ¡qué hombre más encantador!, hace tiempo que no voy por allí, pero, claro, ya no me compro joyas. No encuentro el anillo por ninguna parte, me gustaba mucho, hacía tiempo que no me lo ponía.

A mi madre se le pierde todo. Ropa en los armarios, tazas y cubiertos en la cocina, guantes y pañuelos por la calle. No le importa, concluye al fin, después de lamentarse un poco. Ni siquiera sabe si ha perdido todo eso de verdad. A lo mejor se lo dio a alguien, o la taza se rompió, vete a saber. A lo mejor el anillo de los rubíes de estilo Chevalier ha ido a parar a las manos de alguien que lo necesitaba. Mi madre siempre deja atrás las pérdidas para fijarse en otra cosa.

Me pregunto si yo debería preocuparme por todas estas pérdidas de mi madre. Pero, si a ella no le importa, ¿por qué habría de importarme a mí?

No habla tanto como cuando me viene a ver. De pronto, se queda callada, mirando al infinito. Está en su casa. Mi madre, en su casa, es distinta de como es en la mía. Le digo que el próximo domingo tiene que estar buena para poder venir a verme. Como si no hubiera sido yo quien, antes de saber que no se sentía bien, la hubiese llamado para anular su visita. La frase me ha salido sola.

Es un frío anochecer de noviembre. Se presiente el invierno y yo acudo a una cita. Tengo tiempo de sobra, de forma que ando despacio, mirando a la gente. Poca gente en la calle a estas horas del domingo que está concluyendo. No sé qué tendrá que ver el hombre que me espera –así me lo quiero imaginar, esperándome– en la barra de un bar con el chico que me seguía por la calle. Está casado, quizá separado, no lo sé, y no sé qué ganaría con saberlo. Tengo la impresión de que esta cita no llevará a ninguna parte, aunque salga bien. Será la última. Queremos comprobar, cada cual a su modo, si los sueños del pasado merecían la pena.

Me detengo ante el semáforo rojo, me subo el cuello del abrigo. Podría dar la vuelta, volver a casa, dejar las cosas como están, ¿es que están tan mal? Ahora veo que no, ahora miro un poco hacia atrás y hasta las tardes de los domingos me parecen bien. El orden de las cosas se ha invertido hoy. En lugar de recibir la visita de mi madre, he sido yo quien la ha ido a ver. En lugar de estar ahora, que ya es de noche, en casa, a la espera de que se vaya llenando de ruidos conocidos –puertas que se abren, rumor de pasos, roces, toses y suspiros por el pasillo–, estoy en medio de la calle. El domingo pasado, a estas horas, estaba en el piso de mis vecinos, con la falda anundada a la cintura, descalza, recogiendo cubos de agua. Una imagen que ahora me resulta irreal.

¿Qué se pierde con cruzar la calle y acudir a la cita? Aún tengo cosas que perder, es cierto. No las cosas pequeñas que pierde mi madre, los pequeños objetos cotidianos que desaparecen, que se rompen, que quizá le roben. Cosas vagas. Sensaciones ligadas a las tardes de domingo pasadas en casa escuchando la cantinela incensante de mi madre. Sin escucharla.

Pido un coñac –francés, por favor–, mientras espero en la barra del bar. No es como había imaginado, he llegado antes y ya no sé qué reglas marcan este juego.

Me miro en el espejo del otro lado de la barra. La suerte está echada, me digo. Es una frase que me gusta. No se admiten más apuestas. Rien ne va plus. En francés suena mejor. Y, sin embargo, todo puede suceder. La suerte está echada y todo puede suceder. Ahora puede suceder de todo. Cualquier cosa. Ya no depende de mí. Ya no se sabe de qué dependen las cosas.

Es él. Le reconozco enseguida. Está a mis espaldas, acercándose poco a poco a mí. Sus ojos me miran en el espejo. Nos miramos allí. Ésta es la señal.

–Me ha venido un recuerdo muy lejano a la cabeza –le digo–. Ni siquiera tenía diez años. Mi madre me llevó al estudio de un fotógrafo. Yo era la única niña y quiso que me sacaran una de esas fotografías con telón de fondo, como un cuadro. Me acuerdo perfectamente de las escaleras de la casa. Unas escaleras estrechas y oscuras. Hacía mucho frío allí. Yo iba cogida de la mano de mi madre, se la apretaba, me aferraba a ella. Mi madre parecía completamente despreocupada, casi diría que estaba muy contenta. Eso me asombraba. No sé si lo llegué a pensar exactamente, pero era como si conociera la casa muy bien, como si hubiera subido aquellas escaleras muchas veces. Luego, en el estudio, sentí lo mismo, ¿por qué mi madre hablaba con tanta confianza con ese hombre?, ¿por qué eran tan amigos? Incluso sentí que se reían un poco de mí, los dos juntos, mientras yo posaba, sentada en una silla Luis XIV, o lo que sea, XIV o XV, con una columna a mi derecha que sostenía un jarrón con flores artificiales, de tela, unas flores pálidas, polvorientas. Y, por supuesto, detrás de mí, estaba el paisaje. Un jardín lleno de setos, con una fuente en el centro.

»No sé cuántas fotografías me sacaron, pero tengo la sensación de haber pasado allí muchas horas. Mi madre me había vestido de domingo. Un vestido blanco de tiras bordadas con una cinta rosa en la cintura. Un collar de ámbar. Me había rizado el pelo. Casi parecía rubia.

»Y ya está, no recuerdo más. Como si fuera un sueño.

–No pudo ser el estudio de mi padre –dice Ignacio Campos–. Sólo tenía un telón de fondo y era un cielo azul con nubes blancas. Siempre he pensado que lo había pintado él mismo.

–Claro que no. No era el estudio de tu padre. Estaba en el centro de Madrid, cerca de la Puerta del Sol. Había mucha gente por la calle.

¿Qué significado tiene este recuerdo?, ¿qué significado tendría si fuera un sueño? Dejo la pregunta allí, al otro lado del espejo, mientras el hombre que está a mi lado pide otra copa.

Hace, de pronto, un gesto antiguo. Saca una cajetilla de tabaco del bolsillo de la chaqueta, se pone en los labios un cigarrillo, le pide fuego al camarero.

–Perdona –dice–. No te he ofrecido, ¿quieres?

Le digo que he padecido muchas faringitis y que si fumo me pongo a toser de forma escandalosa.

–¿Te molesta que fume?

Niego con la cabeza. Soy tolerante con el humo del tabaco, sobre todo ahora: me gustan los gestos de este hombre mientras fuma.

–La verdad es que a mi padre le duró poco ese estudio –dice–. De repente, desapareció. Se convirtió en cuarto de costura. Fue después de que empezara a trabajar en el laboratorio. Eso le amargó. Se apartó de nosotros, casi dejó de hablarnos. Yo creo que ahora, que al fin vive solo, es feliz. Al fin, hace lo que le da la gana. Eso es lo que dice mi mujer –se ríe levemente–, Marita se fija en esas cosas. Es una mujer muy... –se corta en seco.

Los dos miramos al espejo. Callados. No ha debido hablar de su mujer. Su mujer no tiene nada que hacer aquí. De pronto, somos nosotros los que tampoco tenemos nada que hacer aquí. Permanecemos callados durante un rato.

–De pequeño, me dedicaba a espiar a mis hermanas por el ojo de la cerradura del cuarto de baño –dice, en un tono distinto, más confidencial, más jovial también–. No sé por qué, esta puerta se cerraba con una llave enorme, como de puerta principal. Y, claro, se cerraba por dentro, pero pesaba mucho y a veces se caía, alguien la recogía y la dejaba en cualquier parte, así que de vez en cuando se perdía. Eso era un drama. Mi madre gritaba: ¿Dónde está la llave del cuarto de baño?, ¿quién la ha visto?, ¡ya se ha perdido otra vez! Bueno –se rió–, yo la escondía. No sé si lo llegó a sospechar, porque nos miraba a todos como si fuéramos culpables. Tenía que andarme con cuidado porque, ya te imaginas, mi casa estaba llena de gente. Mi madre no podía con nosotros, así que había una mujer para cuidarnos. Más bien para vigilarnos, para luchar con nosotros. Hacíamos lo que nos daba la gana, desde luego. Sobre todo, los chicos y, sobre todo, yo, que soy el pequeño. ¡Qué va ser de este niño!, decían siempre, ¡este niño no tiene remedio! No hacían más que quejarse de mí. –Se ríe otra vez–. Sí, escondía la llave, eso es lo que hacía. No la escondía demasiado para que no sospecharan. La dejaba mezclada entre los peines, o entre los cepillos de dientes, o debajo del cepillo de la ropa, pero sobre la repisa, a mano, siempre en un sitio distinto, más o menos. Me gustaba mirar a mis hermanas cuando se bañaban, eso sí, pero creo que, en el fondo, lo que me gustaba de verdad era esconder la llave.

Me mira, con el brillo de malicia de este recuerdo en sus ojos. Quizá no sea un hombre muy de fiar. Puede que relate este recuerdo a todas las mujeres con quienes se cita.

Al cabo de un rato, salimos del bar, sin saber aún lo que tenemos entre manos.

–Te acompañaré a tu casa –dice.

Entonces comprendo que la noche se ha acabado, que todo termina aquí. La conversación languidece. Es como si Ignacio Campos se estuviera escapando. Y yo también me estoy escapando.

No me he puesto los guantes y las manos se me han quedado frías. Pero no me importa, me gusta sentir el frío en la piel, respirar la humedad de la noche. Un hombre se cruza con nosotros. Nos echa una rápida ojeada. Ante el portal de mi casa, que ha sido también el portal de la suya, Ignacio Campos me pone la mano sobre el hombro. Siento la presión de sus dedos a través del paño del abrigo. Abro el bolso y saco las llaves.

Suspira, dice que me llamará.

15. DECISIONES

Mar descuelga el auricular y reconoce, sobresaltada, la voz de Vicente. Se asombra de golpe de la existencia de Vicente, no sólo de que la llame, sino de que exista, se asombra de que esté ahí, al otro lado del hilo telefónico, dondequiera que esté, en su casa, en una oficina, donde sea. De hecho, es un lugar donde hay mucho ruido de fondo. Se asombra de que esté en el mundo.

–Bueno, ¿qué te pasa? –pregunta Vicente–, ¿es que ya no te acuerdas de mí?, eso es injusto, yo pienso muchas veces en ti, muchas veces, Mar, no, ya veo que tú no piensas en mí, así están las cosas, ya lo veo, no te acuerdas de nada, como si yo fuera un perfecto desconocido para ti, ¿cómo lo has hecho?, dime, ¿cómo has conseguido borrarlo todo?, de verdad que te admiro, Mar, admiro tu capacidad para olvidar lo que te resulta incómodo. Pero yo me acuerdo perfectamente, ¡lo tengo todo grabado!, aún recuerdo tus palabras, y el tono de tu voz, y todos tus gestos, tu cuerpo, Mar, sobre todo tu cuerpo, ¡yo no puedo olvidar todo lo que ha pasado entre nosotros! Tenemos que volver a vernos, ¿es que todo eso no ha significado nada para ti?, ¿es que ha muerto del todo?, ¿es que ha desaparecido para siempre? No lo puedo entender.

Mar no sabe qué decir. La voz de Vicente suena demasiado imperiosa, es una voz deformada, excitada. Quiere imponerse, avasallar. Imagina a Vicente, gesticulando, con los ojos llenos de indignación y fijos en un punto invisible, como si también su mirada acusadora pudiera llegar hasta ella.

Hay tantas cosas que no se entienden, dice Mar, casi murmura, con cierto titubeo, con su inseguridad de siempre, el pasado se esfuma como en un truco de magia, es muy raro, en todo este tiempo han pasado muchas cosas, bueno, él ya lo sabe, ha estado deprimida y enferma, no tenía ganas de vivir. Quizá puedan verse algún día, más adelante.

–Sé que no me llamarás, me guardas rencor, te recuerdo algo que quieres olvidar, lo sé, quieres olvidar todo lo que pasó entre nosotros, te has empeñado en olvidarlo, y eso está mal, eso no se puede hacer –acusa la voz.

–Eres tú el que me tiene rencor.

–Yo sólo me defiendo, Mar. Esperaba que me llamarías, no sé por qué, pero lo esperaba, me decía hoy me llamará, me necesita, ¿cómo va a vivir sin esto?, no digo sin mí, Mar, sino sin lo que había entre nosotros, dime, ¿cómo has podido?, eres una mujer muy fuerte.

Mar sabe que no va a convencer a Vicente de lo

contrario. No es fuerte, no ha hecho ningún esfuerzo por olvidarle. Vicente se ha esfumado porque sí, porque todo se esfumó después de la muerte de su madre.

–No quiero molestarte más. Pero, si tienes algún momento de debilidad, llámame. Yo aún sigo aquí.

–Gracias.

Mar mira el auricular, ya mudo, y se pregunta por qué le ha dado las gracias a Vicente. En realidad, la ha llamado para lanzarle una lluvia de reproches. Mar no le cree. Está segura de que Vicente no piensa tanto en ella como le ha dicho, sólo que de vez en cuando se siente herido en su orgullo.

Son las cuatro de la tarde. Vicente sabe que Mar suele estar sola en casa a esas horas, las niñas están en el colegio, Pablo no come en casa. ¿Habría bebido?, ¿desde dónde llamaba? Dado el ruido de voces y de algo más, como de cosas –platos, vasos, cubiertos– chocando entre sí, podía ser un restaurante. Sí, seguramente, estaba en un restaurante, comiendo con algún amigo, puede que hayan hablado de ella y, de pronto, haya sentido el impulso de llamarla. Y eso es lo que ha empujado a Mar a darle las gracias. No por los recuerdos que le ha traído y que ya no quiere tener, no sabría qué hacer con ellos, sino por ese impulso, ese nuevo deseo de verla. Alguien ha pensado en mí, existo para alguien, eso es lo que se dice, asombrada, aliviada, Mar, como si hubiera llegado a creer que no hay nadie en el mundo interesado en ella, como si su vida no acabara de ser real o los otros, los que sí viven en la realidad, no la vieran.

Todo lo que le ha recordado Vicente ha sido borrado, es verdad. No siente ningún deseo de volver atrás, no siente nostalgia de aquellos encuentros, ¿cómo es que se han borrado de forma tan radical? La muerte de su madre se lo llevó todo por delante. Sólo quedó el vacío, no había sitio para nada más. Ni siquiera sus hijas existían, tampoco Pablo. Lo veía todo de lejos. Los encuentros con Vicente se desvanecieron.

Ahora Mar se pregunta por qué empezaron, qué la empujaba a esperar la llamada de Vicente y a acudir, luego, a sus citas. Y encuentra la misma respuesta, el vacío. Siempre el vacío. Acudía a las citas de Vicente para huir del vacío, pero, de golpe, el vacío lo invadió todo. Huía del peso de la vida, mientras veía que su madre se iba consumiendo poco a poco en aquel año tan espantoso, tan lleno de dolor y de impotencia. Pasaba las tardes en casa de sus padres, haciendo compañía a su madre, tratando de seguir el hilo de una conversación que se perdía, atenta a que los analgésicos y los calmantes –toda esa batería de fármacos que se guardaban en el cajón de su mesilla de noche– llegaran puntualmente. Pero algunos días llegaba más tarde a ver a su madre. Algunos días pasaba primero por la casa que Vicente, medio separado de su mujer, había alquilado en la otra punta de Madrid. Aún puede verse a sí misma subiendo en el pequeño ascensor del edificio, pulsando el timbre de la puerta, entrando en el piso, pero todo se detiene ahí. Sólo puede verse hasta ese punto. No puede avanzar, lo que ocurría después de traspasar el umbral de la puerta ya ha dejado de existir. Sólo recuerda eso, los pasos que daba hacia el piso de Vicente, sólo recuerda aquel vacío del que tenía que huir.

Sin embargo, aún quisiera huir del vacío, pero ya no sabe cómo.

¿Qué pensaría de todo eso el médico que le ha recomendado dar un paseo largo al día, un paseo de por lo menos una hora? El médico mira a Mar como si creyera que está incapacitada para vivir, como si no se le pasara por la cabeza que haya tenido las más mínimas aventuras. Nadar no es suficiente, dijo el médico, tienes que andar, si puedes, a paso un poco rápido, para que el ejercicio sea más efectivo. Y Mar no recuerda qué dijo entonces el médico sobre la ley de la gravedad, pero la mencionó, siempre la menciona, aunque Mar no pueda recordar con qué motivo, puede que con cualquiera. El médico sólo habla de eso, de nadar, de andar y de la ley de la gravedad, como si en el mundo no existiera nada más.

Mar piensa en el médico, que es un hombre simpático, aunque algo absurdo, de una conversación, y quizá un horizonte, absolutamente limitados, mientras se calza las zapatillas deportivas para dar su paseo diario. Sí, prefiere pensar en el médico que en Vicente. Puede que ya se haya separado definitivamente de su mujer, de aquella rubia oxigenada, y tal vez alcohólica, amiga de Malica. Quién sabe, poco importa ya.

Recorre el pasillo hacia la puerta y se detiene delante del cuarto de estar, como si le costara seguir avanzando. Siempre le da un poco de miedo abandonar la casa. Los sofás, las mesas bajas, las estantería, la alfombra, delimitan un territorio que conoce bien, pero que no puede convertirse en el único porque, de ser así, podría cobrar vida propia y no permitir a sus habitantes salir nunca de él.

Es una tarde soleada y no hace frío. No sabe muy bien hacia dónde encaminar sus pasos. La llamada de Vicente le ha dejado una profunda sensación de extrañeza respecto del pasado: no parece del todo suyo, como si alguien se hubiera ocupado de borrar, de hacer inexistentes, determinados lapsos de tiempo, escenarios y personas que, sin embargo, reclaman de pronto su derecho a la vida, al recuerdo. Pero aún no han encajado en el cuadro general, y no se sabe si llegarán a encajar, porque el cuadro general se ha ido ampliando y complicando cada vez más, aunque a primera vista pudiera parecer lo contrario, ya que se ha producido una especie de despojamiento, pero no es en absoluto una simplificación. La vida se ha hecho completamente indescifrable.

Lo que más le gusta de los paseos es el momento de la pausa. Entra en un bar, se toma un café o una cerveza, según la hora que sea, escucha las conversaciones que se desarrollan a su alrededor y espera a que se produzca el milagro, a ser invadida por un fugaz pero intenso sentimiento de integración, algo que le haga sentir que poder descifrar los enigmas de la vida no es tan importante, que pueden dejarse ahí, envueltos en su halo de misterio. No siempre ocurre. Depende de cosas que escapan a su control, detalles pequeñísimos, la amabilidad del camarero, por ejemplo.

Vagamente, se pregunta cómo es en el fondo la gente que anda por la calle y si habrá alguien por ahí con quien poder hablar y entenderse, pero no es fácil adivinar la vida de los otros sólo por el aspecto. Ella misma, vista de lejos, es una mujer vestida con ropa cómoda –además de ir calzada con zapatillas deportivas, lleva pantalones anchos, y un chaleco de plumas–, que anda a paso rápido por la calle. Esto es lo único que la gente puede saber de ella. Las vidas de las personas no se conocen, no se abarcan con un golpe de vista. Indagar puede ser doloroso, puede decepcionar. Pero, si no se indaga, ¿no vivimos demasiado lejos de la vida? Nadar y andar, ésta es la doctrina que imparte el médico, un sistema de protección. Luego está la ley de la gravedad, ¿una clase de protección, también, pero más esencial? Eso es lo que hay que conseguir: estar anclada a la vida de forma natural, sin hacerse tantas preguntas sobre los otros, sobre los enigmas, sobre el vacío. Hay que andar, hay que respirar hasta el fondo de los pulmones el aire del invierno, esté contaminado o no, hay que fijarse en las copas de los árboles, en su desnudez transitoria, una desnudez que se remediará dentro de unos meses, hay que mirar las fachadas de las casas doradas por el sol que va cayendo. Hay que andar y sentir el peso del cuerpo sobre el asfalto, y no pensar, sino sentirlo todo.

Se ha olvidado en casa el walkman, esos auriculares mínimos que hacen que la música invada su cabeza y la aísle del exterior. Ni siquiera sabe dónde lo ha dejado. Seguramente se ha olvidado por eso, porque no estaba a la vista y porque la llamada de Vicente ha hecho que saliera de casa como quien escapa de una cárcel. Pero echa de menos las sonatas de Schubert que ha grabado.

–¿Eres Mar?, ¿Mar Campos?

Mar mira al hombre que se ha detenido frente a ella, y que parece indeciso, como si, después de haber pronunciado su nombre, esperara una respuesta, una indicación. Mar no sabe quién es. Lleva barba de varios días, tiene un no sé qué de vagabundo, o de bohemio. No le conoce de nada.

–Soy Roberto, tu cuñado. Bueno, tu ex cuñado, Roberto Enciso, ¿es que ya no te acuerdas de mí?, ¿adónde vas tan deprisa?, casi me choco contigo.

–Roberto Enciso –repite Mar, mientras en su interior se va produciendo la conexión.

Sí, ya le ha reconocido, aunque la verdad es que ha cambiado mucho. Mar le dice que está dando un paseo, que el médico le ha recomendado dar un paseo largo y a paso rápido todos los días –no sabe porqué le da esta información, pero la da seguramente por hablar, por disimular su desconcierto–, y añade que sí, que claro que se acuerda de él, aunque haya pasado mucho tiempo.

–Mucho tiempo, sí –dice Roberto–. Bueno, si no te importa, te acompaño un poco, estoy haciendo tiempo para una cita.

–Claro que no –dice Mar.

De forma que ahora Mar camina, a un paso algo menos ligero que antes, al lado de Roberto Enciso, su ex cuñado. Está impresionada por la transformación que ha sufrido y que casi le ha impedido reconocerle, por la barba de varios días que ensombrece su cara, por la ropa gastada que lleva. Era un hombre presumido, siempre con traje, corbata y bufanda, de colores muy bien combinados. Un hombre guapo al que en cierto modo ella, que aún no se había casado, tenía como modelo de marido. Pensaba que su hermana Malica era la única que había acertado. Los novios de Estrella eran absurdos. Y lo siguen siendo, desde luego. Y de Sergio, el marido de Blanca, no había mucho que decir, no era nada, un hombre sin carácter, sin personalidad. No, sus hermanas no atinan con los hombres.

Mar se encuentra contándole a Roberto Enciso todas estas cosas, haciendo el repaso de la vida familiar de la que él ha sido parte.

–Así que sigues casada –dice Roberto, volviendo la cara hacia ella. Hay un punto de intriga en el fondo de los ojos.

–Murió mi madre –dice Mar.

Roberto asiente, como si ya estuviera enterado, y deja escapar un largo suspiro.

–Hizo bien en morirse –dice luego–. La casa se había quedado vacía, bueno, ya sólo estaba tu padre, el capullo de tu padre, ese pedazo de cabrón. –La voz de Roberto, aunque se ha cargado de ira, es una voz muy tranquila, una voz lenta, nacida de muy dentro–. Bastante lo aguantó tu madre. La llenó de hijos y no paró de protestar. Nunca le oí pronunciar una palabra amable, ¡qué tipo! ¡Qué familia la tuya!, Mar, ¡qué mala suerte habéis tenido con vuestro padre! Siempre enfadado, siempre de mal humor, ¡vaya carácter!, con todo ese cuento de que podía haber hecho carrera como fotógrafo si no hubiera tenido que ponerse a trabajar para sacar a la familia adelante. Ése era su papel, el fotógrafo fracasado, el mártir, ¡qué estupidez!, ¡no se fracasa así como así!, ¡no todo el mundo tiene el privilegio de fracasar!, ¡hay que saber escoger el fracaso!, ¡el fracaso también es un arte! –Ahora Roberto Enciso parece verdaderamente ofendido–. Naturalmente, Malica no se daba cuenta de nada. Ninguna de tus hermanas se daba cuenta. Y tus hermanos dan igual, los hombres no piensan en estas cosas, te lo digo yo, los hombres no piensan. Y algunas mujeres tampoco. En tu casa, nadie. Sólo tú, Mar. Tú eres distinta, siempre lo he sabido.

La explosión de Roberto Enciso no sorprende demasiado a Mar. Siempre había tensión entre su padre y él. Ha habido tensión con los maridos de todas sus hermanas. También con el suyo, con Pablo. Florencio Campos no lleva bien la competencia masculina, siempre ha creído que las mujeres de la casa se debían, antes que a cualquier otro hombre, a él, al padre. Mar lo sabe con certeza: su padre no trató bien a su madre y no las trata bien a ellas, a sus hijas. De hecho, todas, menos Blanca, han huido, se han evaporado, después de la muerte de su madre. Quién sabe qué retiene a Blanca al lado de su padre, de dónde sale ese sentido de responsabilidad que al parecer la mantiene ligada a él. Pero hay un vínculo entre ellos, entre su padre y su hermana Blanca, un vínculo establecido en el principio de los tiempos, como el que la unía a ella con su madre.

No se ven mucho, pero cada vez que se ven, Blanca hace algún comentario referido a su madre, un recuerdo, una costumbre que tenía. Quizá le suceda lo mismo con todas las hermanas, quizá Blanca tenga necesidad de hablar de su madre con ellas, como si al mirarla a ella –o a cualquiera de sus hermanas– recordara algo sobre su madre, y entonces le pregunta a Mar si ella lo recuerda también, pero la verdad es que Mar nunca recuerda nada. Lo que no deja de resultar extraño, muy extraño. Mar no ha guardado en su memoria tantos detalles de la vida de su madre como su hermana Blanca. Quizá no los necesitaba. Se sentía tan ligada a ella que no necesitaba fijarse en los detalles. En cambio, se diría que Blanca ha ido reteniendo cosas de aquí y de allá para componer el retrato, la imagen de su madre, como si Blanca hubiera accedido a ella después de su muerte, como si la hubiera recuperado al fin. Éste parece haber sido el proceso de Blanca. De alguna forma, más claro que el suyo. Mar aún necesita tiempo para analizar el suyo. Aún falta mucho tiempo para todo, eso es lo que siente, mientras camina al lado de Roberto Enciso, su ex cuñado.

Lo cierto es que Roberto Enciso le produce un poco de miedo. Lo que acaba de decir respecto a su padre revela un enfado tan profundo que seguramente no deja espacio para nada más. Aquí se agota su capacidad de análisis y de comprensión. Roberto Enciso es un hombre imprevisible y lleno de rencor.

Ahora Roberto habla de Malica. No se acaba de saber si la está alabando o criticando. El tono de su voz tiene un matiz irónico. Cuando dice que Malica ha triunfado puede que esté diciendo lo contrario, que menudo triunfo es ése o que ya sabemos lo que significa triunfar en esta sociedad. Es decir, nada.

–¿Sigues nadando? –pregunta, sorprendentemente, y otra vez se vuelve para mirarla–. Me acuerdo de una vez que nos encontramos por la calle cuando venías de la piscina. Era invierno y llevabas el pelo mojado. Parecías muy feliz. Pensé que hubieras debido secarte el pelo, que podías coger un resfriado.

–Sí, yo también me acuerdo.

–Bueno –dice Roberto, mirando su reloj–, ya tengo que volver. Ha sido estupendo encontrarte, Mar.

Quizá no sea tan rencoroso, se dice Mar, mientras se despiden, quizá Roberto Enciso sea sólo un hombre que se ha ido construyendo teorías. No sabe cómo es, no sabe si es un hombre rencoroso y vengativo o un hombre protegido por innumerables teorías, pero hay algo en él que, en todo caso, da un poco de miedo. ¿Por qué la ha mirado con tanto asombro, con incredulidad, incluso con censura, cuando ha sabido que seguía casada? Sigues casada, ha comentado, pensativo, como si eso aún le asombrara más que el que siguiera nadando.

Sigo casada, sigo nadando, se dice Mar. A Roberto Enciso eso le resulta asombroso, eso significa para él una continuidad total, casi inmovilismo. Eso era lo que se leía en sus ojos: mientras todo cambia, yo permanezco quieta, separada del mundo, aferrada a mis hábitos, a mis ritos, a las personas que me rodean. No imagina Roberto Enciso lo mucho que han cambiado las cosas, no lo imagina nadie, ¡qué incapacidad!, ¡qué lejanía se palpa ahora, después del encuentro con un viejo conocido que nunca ha sabido mucho de ti, que sólo tiene dos datos sobre tu vida, que se cree con el derecho a juzgarte como si no hubiera nada más que eso, esos dos únicos datos!

Alza los ojos hacia el rótulo de la calle. Recuerda de golpe que de esta calle sale otra, una calle corta y estrecha, que queda un poco escondida entre calles más anchas y principales, y que alguien se la ha mencionado recientemente. Ha sido Marita, su cuñada. Le habló de Palmira, la mujer del portero de la casa de su padre. Ha puesto una tienda de arreglos de ropa en la calle Manises, le dijo. Sí, en esta calle donde Mar se encuentra ahora, ¿es una casualidad? Precisamente hoy, cuando el pasado ha irrumpido en su vida una vez tras otra.

Hace tiempo que no ve a esa mujer, Palmira, la mujer a quien su madre le dio, sin que nadie se enterara –al menos, nadie puede recordarlo–, su viejo y pesado abrigo de astracán, ese abrigo que, meses después de la muerte de su madre, Mar tuvo la urgencia de buscar, de tener, como si fuera un legado valiosísimo, capaz de dar sentido al vacío que, al cabo de tanta lucha, se había apoderado de ella. Sólo era un abrigo, un viejo abrigo que, en vida de su madre, Mar se había probado mil veces para concluir, indefectiblemente, que era demasiado pesado y que, aunque se pudiera arreglar, seguiría siendo un abrigo incómodo. Pero tiene muchos recuerdos de su madre con ese abrigo. Los recuerdos invernales más remotos le traen la imagen de su madre envuelta en el largo abrigo negro que remataba en un cuello ancho que su madre se subía para abrigarse mejor. Y se acuerda de lo importante que fue para ella la compra de ese abrigo. Para todos. Alguien dijo que el astracán había venido de la misma Rusia. Había una garantía total respecto de la calidad del astracán, no era un abrigo comprado en cualquier tienda, había sido una adquisición muy especial, ese abrigo era muy superior a cualquier otro de los abrigos de astracán que podían verse por la calle. Pasados los años, su madre se lo hizo reformar. El abrigo se estrechó, perdió la forma de capa y la amplitud del cuello. Mar no tiene muchos recuerdos de su madre con el nuevo abrigo. Se lo ponía para hacer los recados cotidianos por el barrio, pero luego lo dejó de usar. Aún pesaba mucho.

Este recuerdo de su madre prevalece sobre todos los demás, su madre envuelta en el abrigo de astracán, con el amplio cuello sobre sus hombros. Llevaba un sombrero pequeño, una especie de boina o turbante. Sin embargo, Mar no recuerda haber visto ninguna fotografía de su madre vestida así, con el abrigo y la boina. Por aquella época, su padre aún sacaba fotografías. Hay, guardadas en un álbum, muchas fotografías de su madre, pero ninguna con el abrigo, ninguna como la imagen que tiene Mar en la cabeza. Como si esa imagen fuera algo que Mar hubiera fabricado para sí. Una imagen que resulta tranquilizadora, una especie de símbolo. Su madre, protegida del frío y del mundo por la gruesa piel del abrigo, lista para salir a la calle.

Allí está, en letras de color naranja, el letrero que anuncia la tienda. Es una tienda pequeña. Mar se detiene frente al escaparate.

Palmira, a unos metros de ella, está inclinada sobre la máquina de coser, concentrada en su tarea, con los labios levemente curvados en una sonrisa. Mar empuja la puerta y la saluda. Le dice que pasaba por allí, que la ha visto desde la calle.

–Ay, qué susto me ha dado –dice Palmira, apartando la mirada de la tela.

Pasado este primer momento de desconcierto, Palmira reconoce a Mar. Se levanta de un salto, le da dos besos, le dice que se alegra mucho de verla. Parecen dos viejas amigas que se encuentran al cabo de los años y que tienen muchas cosas que contarse, aunque, quién sabe, no es tan fácil hacer el relato de todo lo que ha pasado, de todas las sorpresas de la vida.

–Ya ve, he puesto este negocio –dice Palmira, animada, comunicativa–. Bueno, no es nada del otro mundo. Pero por algo se empieza, ¿no? Ya tengo muchos encargos. Lo que de verdad me gustaría es poner una tienda de ropa usada, como en Estados Unidos, allí tienen muchas, eso es lo que me han dicho, ropa buena, interesante, ese tipo de ropa que no se pasa de moda, que la combinas con otra cosa y queda fenomenal. ¿Se encuentra mal? Está muy pálida. Siéntese, ahora le traigo un vaso de agua.

Hay un olor muy intenso en la tienda. A ropa vieja, a tinte, a humedad, a musgo. Mar bebe lentamente el agua que le trae Palmira. Sólo ha sido por una décima de segundo, pero ha imaginado que el abrigo de su madre, arreglado otra vez, estaba expuesto en la tienda para ser vendido y usado por otra persona.

–¿Se encuentra mejor? Bueno, ya sabe dónde estoy, si tiene algo para arreglar, tráigamelo.

–¿Se arregló el abrigo de astracán que le regaló mi madre? –pregunta Mar, y conscientemente ha utilizado el verbo regalar en lugar del verbo dar.

–Sí, me hice una chaqueta, quedó estupenda, la piel es muy bonita, muy brillante.

–Me voy, me alegro de haberla visto, Palmira, me alegro de que le vaya bien con el negocio.

–Es pronto para decirlo, pero hay que tener paciencia. Lo importante es resistir. Hacer las cosas bien y resistir.

–Sí, tiene razón.

Mar sale a la calle y respira hondo. No, el abrigo de su madre no va a ser vendido a desconocidos. Lo tiene, de nuevo arreglado, Palmira. Es una mujer muy agradable, se llevaba bien con su madre, hablaban, se preguntaban cosas, intercambiaban comentarios sobre el tiempo, sobre los hijos de una y los nietos de otra, sobre la comida, sobre la ropa. Mar puede imaginar estos diálogos, puede ver a su madre ahí, detenida en medio de la calle o en el mismo portal de la casa, hablando con Palmira, verá, Palmira, tengo un abrigo que no uso, un abrigo de astracán, la piel es muy buena, aunque pesa un poco, la verdad, quizá se lo pueda arreglar, hacerse una chaqueta, usted tiene mucha idea sobre todo eso, bueno, si lo puede aprovechar, estupendo. Mar es consciente ahora de todas las relaciones que su madre estableció en su vida sin que ella lo sospechara o sin que ella estuviera presente. Sólo ha conocido una parte de la vida de su madre, porque eso es lo que conocemos de las vidas de los demás, partes, trozos, fragmentos, incluso de las personas a quienes tenemos más cerca, las personas a quienes creemos conocer mejor. La vida de su madre era más amplia de lo que parecía, vivió más de lo que les mostró a ellos, a su familia. No la puede juzgar sólo por eso, sería injusto. No tiene derecho a pensar, como le acaba de decir, más o menos, Roberto Enciso, que su madre no tuvo suerte con su padre, que su vida se redujo a eso, a tener un hijo tras otro, a soportar las quejas continuas de su marido, su permanente mal humor. Ya no quiere juzgar la relación que hubo entre sus padres. La imagina hablando con Palmira: su madre parece feliz, el tono de su voz es alegre.

Mar tiene la impresión de que el breve diálogo referido al abrigo de su madre se ha mantenido en otro lugar, en otro mundo, allí donde se puede hablar de todo con naturalidad, donde impera la ley de la gravedad, que nos ancla a la tierra. Ese mundo ha quedado ahí, en la tienda de Palmira, esa mujer que, precisamente por su naturalidad, resulta extraordinaria. Ahora Mar está en otro mundo, un mundo donde todo gira, todo se transforma, todo cambia, ¿qué somos?, partículas que van de aquí para allá, polvo que flota en el aire y que el sol, como ahora, a veces ilumina. Otra vez echa de menos las sonatas de Schubert.

Un chico viene andando hacia ella. Lleva unos patines colgados del hombro. Cuando está a su altura, le lanza una mirada que la atraviesa, incluso se detiene un momento, sonriente, como si la hubiera reconocido y quisiera decirle algo. Pero no, sigue su camino.

Mar se vuelve. Está segura de haber visto a este chico en alguna parte. Sigue los pasos del chico con la mirada y no le acaba de sorprender que entre en la tienda de arreglos de ropa, la tienda de Palmira. No es el hijo de Palmira. Palmira no tiene un hijo de esa edad. Los hijos de Palmira son pequeños, los ha visto alguna vez. Quién sabe, quizá sea un cliente, un chico que va a recoger la cazadora a la que le han puesto una cremallera nueva, algo así, un chico, en todo caso, que parece contento, que sonríe a las personas desconocidas con quienes se cruza por la calle.

¿Habrá algo detrás de todo esto?, se pregunta.

Se ha hecho esta pregunta muchas veces, pero siempre en sueños, y por eso ese trozo de la calle donde se encuentra ahora, y la luz en declive de la tarde, y los ruidos, y el olor a humo y un poco a comida que se respira allí, todo eso parece pertenecer a un sueño. Sobre todo, ella. Ella, allí, mirándolo todo, sin saber si sería mejor dirigirse hacia un lado de la calle o hacia el otro, y encaminando, finalmente, sus pasos hacia un lado, aunque pueda ser un error, pero un error pequeño, a fin de cuentas, algo insignificante, que nadie le va a reprochar nunca, que no va a cambiar el mundo. O quizás sí. Porque éstas son las decisiones importantes que se toman en los sueños y que, efectivamente, cambian el mundo.